D0261159

GUIDES DE L'ARTISTE

HUILE

GRÜND

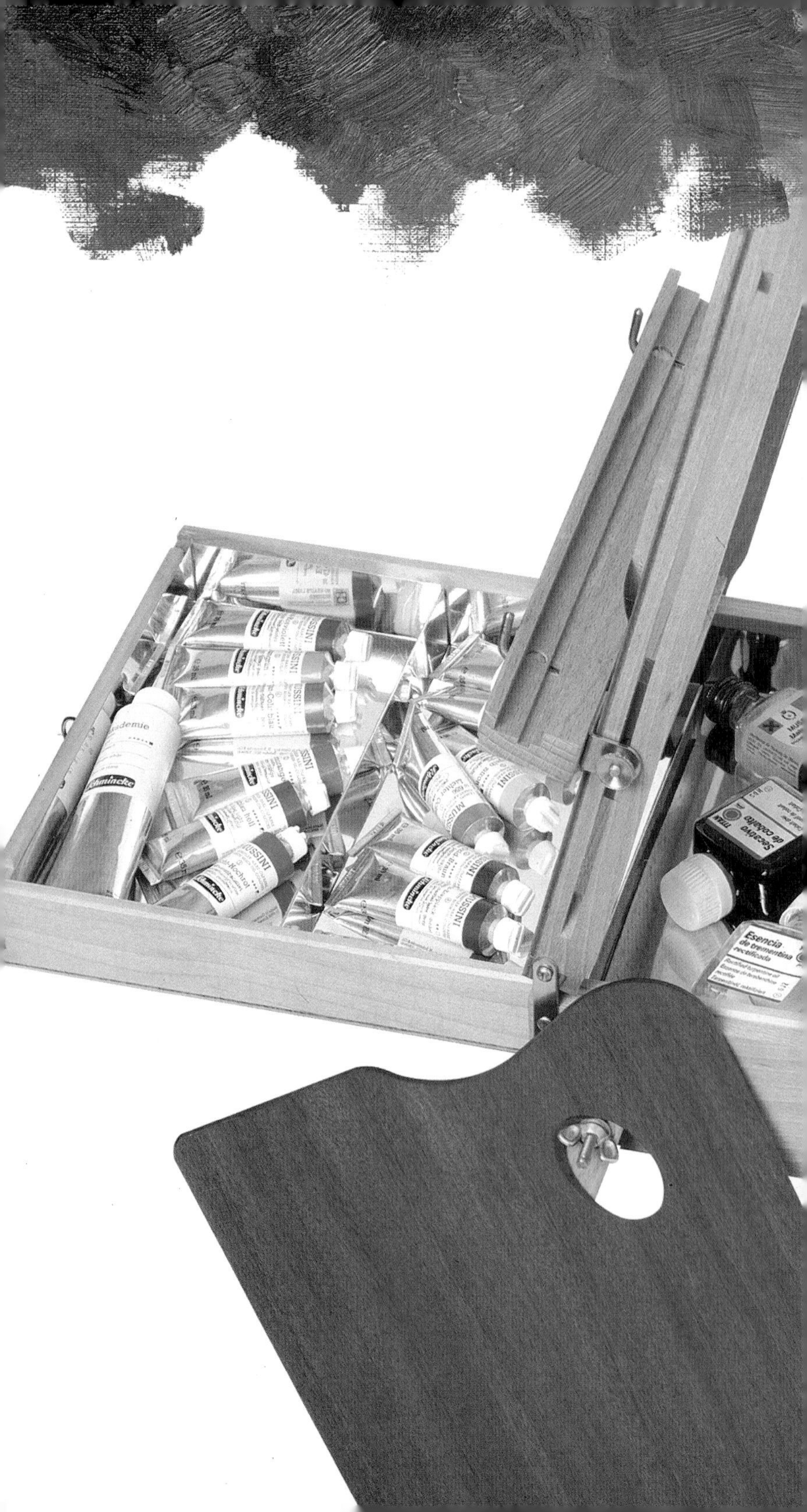
MUSSINI
Schmincke
Secativo de cobalto
Esencia de trementina rectificada

GUIDES DE L'ARTISTE

HUILE

GRÜND

SOMMAIRE

LE MÉDIUM

• **Qu'est-ce que l'huile ?** Médium. Pigments. Autres composants. Évolution des techniques de fabrication. Lenteur du processus de séchage. Adoption d'un nouveau support : la toile. *Un nouvel angle de vue* . 6-7

• **Bref historique. De la détrempe à l'huile.** Introduction de l'huile en Italie. Une tradition ancienne. Avantages par rapport à la détrempe. Découverte de la perspective. Carnations et drapés. Gradation de la couleur. Stabilité à la lumière. *L'huile remplace la détrempe* 8-9

• **Composition de la peinture à l'huile.** Types d'huile. Vernis. Cire. Glacis au bitume de Judée. Glacis à l'huile. Siccatif au cobalt. Types de pigments. *Les premières techniques* 10-11

• **Préparation des couleurs.** Fournitures pour la fabrication d'une peinture à l'huile de qualité. Broyage des pigments. Densité des pigments. Verre ou marbre. Premier mélange. Malaxage. Incorporation d'autres ingrédients. Conservation de la peinture à l'huile. *Conditionnement des couleurs* 12-13

• **Couleurs et pigments.** Les blancs. Les jaunes. Les rouges. Les bleus et les verts. Les bruns. Les noirs. *Assortiment de couleurs* 14-15

• **Additifs spéciaux : cire, liants et vernis.** Cire d'abeille. Choisir une huile de qualité. Solubilité. Vernis à retoucher. Vernis de finition. Vernis mats, satinés ou brillants. Vernis Dammar. *Gras sur maigre* 16-17

• **Peinture à l'huile, qualités et marques.** Différences de qualité. Choisir une qualité en fonction de ses besoins. Acheter ou fabriquer ? Quantité nécessaire. Compatibilité entre couleurs de diverses qualités. Importance du médium. *L'atelier du peintre* 18-19

SUPPORTS, MATÉRIEL ET FOURNITURES

• **Préparation des divers supports : toile.** Format du châssis. Choix de la toile. Tension et montage. Colle de peau. Préparation traditionnelle. Application d'un apprêt au latex ou acrylique. Impression au gesso. Préparation à l'essence de térébenthine. *Léonard de Vinci et la préparation des toiles* 20-21

• **Préparation des divers supports : papier ou carton.** Qualité du papier. Carton entoilé. Tension et apprêt. Support du papier. Collage du papier. Préparation du carton. Avantages du latex. *Les «cartons» de Cézanne* .. 22-23

• **Autres supports : bois, isorel et contreplaqué.** Préparation des différents supports. Bouche-pores. Blanc d'Espagne. Colle de peau. Ponçage final. *Tableaux d'autrefois* 24-25

• **Montage d'un panneau de bois sur châssis.** Préparation du châssis. Collage et clouage. Découpe au cutter. Ponçage du panneau. Emploi d'une ponceuse électrique. Ponçage des arêtes. *La peinture sur bois* 26-27

• **Enduits acryliques, au latex et produits dérivés.** Impression au latex. Apprêts aux résines synthétiques. Durabilité. Relief ou couleur. Séchage. Solvants. *Impression par pulvérisation* 28-29

• **Le lieu de travail.** Lumière naturelle. Dimensions idéales. Dosage de la lumière. Lumière artificielle. *L'atelier de Vélasquez* 30-31

• **Matériel et fournitures complémentaires.** Sièges. Boîtes de peinture. Produits d'entretien. Fournitures jetables. Tenue vestimentaire. Palettes. *L'atelier de Frida Kalho* 32-33

• **Divers types de chevalets.** Des modèles adaptés aux besoins. Chevalet de campagne. Chevalet d'atelier. Chevalet de table. Boîte-chevalet. *Chevalet de copie* 34-35

• **Montage d'une toile sur châssis.** Dimensions de la toile et du châssis. Fournitures nécessaires. Agrafes ou clous. Finition des angles. Tension et fixation de la toile sur les côtés. *Châssis pour tableaux non encadrés* 36-37

• **Pinceaux.** Différents types de pinceaux. Pinceaux de qualité supérieure. Pinceaux économiques. Pinceaux de qualité intermédiaire. *Fabrication de pinceaux de qualité*....... 38-39

• **Entretien des pinceaux : nettoyage et rangement.** Matériel d'entretien. Essence de térébenthine pure. Solution provisoire. Lave-pinceaux. Nettoyage à l'eau et au savon. *Lave-pinceaux improvisé*............... 40-41

• **Couteaux.** À quoi sert un couteau ? Mélange des couleurs. Entretien des couteaux. Peinture au couteau. Peinture au couteau sur peinture au pinceau. Peinture directe au couteau. Retouches au pinceau. Couteaux à pointe effilée. Divers types de couteaux. Couteaux à bout rond. *Origines du couteau*............. 42-43

TECHNIQUE ET PRATIQUE

• **Grands thèmes : portrait, nature morte, paysage.** Adaptabilité de l'huile aux différents thèmes. Thème et composition. Nature morte. Éléments empruntés à la nature. Portrait. Autoportrait. Paysage. *Première nature morte* 44-45

• **Technique : esquisse, croquis rapide.** Préparatifs. Esquisse préliminaire. Petits travaux. Peinture *alla prima*. Technique de la peinture directe. Peinture et geste. *Goya et la peinture directe* 46-47

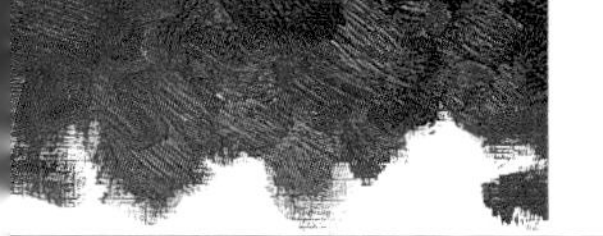

• **Mélange de couleurs**. Théorie des couleurs. Répartition des couleurs sur la palette. Mélange des couleurs sur la palette. Mélange des couleurs sur la toile. Mélange de peintures de qualités diverses. Mélange de couleurs au couteau. *Couleurs de la palette* 48-49

• **Composer sa palette**. Différents types de palettes. Répartition des couleurs. Harmonie des couleurs. Gamme de couleurs froides. Gamme de couleurs chaudes. Gamme de couleurs rabattues. Maîtrise des couleurs. *La palette de Rembrandt* ... 50-51

• **Ébauche d'une œuvre**. Étude de la composition. Ébauche des couleurs. Choix d'une gamme de couleurs. Pinceaux employés. Légèreté de la touche. Huile de lin et essence de térébenthine. *Ébauche et élaboration de l'œuvre* 52-53

• **Techniques mixtes et règle du gras sur maigre**. Propriétés de la peinture à l'huile. Principe du gras sur maigre. Association de techniques. Incorporation de diverses matières. Pastels gras. *Richesse de texture* 54-55

• **Emploi du couteau**. Pose des couleurs. Repentirs. Plat du couteau. Peinture directe. Pointe du couteau. *Ressources multiples du couteau* 56-57

• **Peinture associant couteau et pinceau**. Travail au couteau et au pinceau. Peinture au pinceau retouchée au couteau. Pour couvrir de grandes surfaces. Empreinte du couteau. *Le couteau pour l'ébauche, le pinceau pour la finition* 58-59

• **Emploi des divers types de pinceaux**. Ébauche. Techniques du pinceau sec et du frottis. Détails et fondu des couleurs. Variété des touches. Différents types de poils. *La touche de Van Gogh* 60-61

• **Fondu des couleurs**. Subtilité des mélanges. Dégradés de tons. Juxtaposition des couleurs. Harmonisation tonale. Choix du pinceau. *Fondu des couleurs à l'époque rococo* 62-63

• **Peinture *alla prima***. Spontanéité de la technique. Ébauche générale. Peinture dans le frais. Mélange des couleurs sur la toile. Mise au jour des couches inférieures. Séchage de l'huile. *Reflets sur l'eau* 64-65

• **Peinture par étapes**. Un travail méticuleux. Durée des séances. Résolution des défauts. Effets divers. *Technique lente* ... 66-67

• **Technique du glacis**. Qu'est-ce qu'un glacis ? Procédé. Coloration du médium. Faut-il employer une huile particulière ? Un travail de patience. Inconvénients du siccatif au cobalt. *Emploi traditionnel du glacis* 68-69

• **Relation entre fond et sujet**. Choix du sujet et définition des objectifs. Unité des éléments picturaux. Rapports chromatiques entre fond et sujet. Importance de la touche. Neutralité du fond. Définition des limites entre fond et sujet. *Intégration du portrait dans le tableau* 70-71

• **Réalisation des fonds**. Fond et portrait. Fond neutre. Fond contrastant. Fond et nature morte. Texture du fond. Équilibre des masses et valeur des couleurs. *Botticelli et le fond imaginaire* 72-73

• **Effets de texture**. Qu'est-ce que la texture ? Tout élément possède une texture particulière. Divers effets de texture. Incorporation de matières. La lumière, révélateur de la texture. *Primauté du relief* 74-75

• **Additifs de texture**. Poudre d'albâtre. Poudre de marbre. Sable marin. Oligiste et autres matériaux. Couteau et texture. *Addition de vernis* 76-77

• **Incorporation de matériaux**. Matière et texture. Rapports entre matériaux, huile et support. Conditions de tenue des matériaux dans l'huile. Styles. Techniques et associations. Collage. *Impression préalable des matériaux* 78-79

• **Couleurs et nuances de la peau**. Peau claire. Palette de couleurs chair. Carnations à tendance chaude ou froide. Peau mate. *La couleur de la peau* 80-81

• **Ombres et lumières de la peau**. Incidence de la lumière. Emploi du blanc. Nuances et rehauts. Peinture à l'huile et lumière artificielle. Reflets en lumière naturelle. *Luminosité des carnations chez Vélasquez* .. 82-83

• **Définition des traits : nez, yeux, bouche, oreilles**. Volume et perspective : le raccourci. Esquisse de construction. Modelé des volumes par dégradés et contrastes. Nez. Yeux et sourcils. Oreilles. Bouche. *Le style libre de Goya* 84-85

• **Perspective, ombres et volumes**. Effet de profondeur. Plans et couleur. Angle d'éclairage. Palette des ombres. Zone lumineuse et zone sombre. *Le contre-jour chez Daumier* .. 86-87

• **Clair-obscur**. Huile et monochromie. Recherche des valeurs tonales sur la palette. Ombres et harmonie chromatique. Exaltation de la lumière. Jeu des contrastes. Centres d'intérêt et perspective. *La perspective dans le clair-obscur chez Rembrandt* 88-89

• **Repentirs ou retouches**. Repentirs ou corrections en cours de travail. Opacité et transparence de l'huile. Interventions sur une œuvre achevée. Corrections sur peinture fraîche. Corrections sur peinture sèche. *Les repentirs de Vélasquez*. 90-91

• **Objets en verre et reflets**. Définition des objets en verre. Suggestion des volumes. Éclat et réalisme. Réflexion et déviation des rayons lumineux. *Rendre l'épaisseur du verre* 92-93

• **Achèvement et vernissage**. Temps de séchage. Corrections. S'arrêter à temps. Choix du vernis. Vernissage d'un tableau. Nettoyage d'un tableau ancien. *Restauration et lumière* 94-95

QU'EST-CE QUE L'HUILE ?

Parmi le large éventail des techniques picturales aujourd'hui pratiquées, la peinture à l'huile se distingue par la multiplicité de ses ressources. Bien qu'ayant évolué au cours des siècles, elle a toujours occupé une place prépondérante parmi les modes d'expression artistiques. Son médium principal, l'huile de lin, lui confère des caractéristiques propres à satisfaire les exigences d'un artiste : luminosité, opacité ou transparence, élasticité, subtilité au niveau des mélanges, corps, texture et durabilité.

Médium

Le terme de « médium » désigne non seulement la technique picturale elle-même, en tant que moyen d'expression, mais aussi toute substance servant à lier et diluer les pigments colorants. La peinture à l'huile est un médium pictural gras ; le fait que ses pigments soient liés à l'huile lui confère des caractéristiques particulières. Cependant, en dépit de l'apparente simplicité de sa composition, il faut, pour la fabriquer, posséder une parfaite connaissance des substances utilisées, sans parler d'une bonne dose de patience. La particularité essentielle de l'huile de lin est de ralentir le séchage de la peinture et de la rendre plus onctueuse et plus souple. Ajoutée à un pigment, elle permet d'obtenir une pâte compacte et uniforme.

Divers types d'huiles.

Liant et diluant : huile et essence de térébenthine.

Pigments naturels.

Pigments

Autres composants essentiels de la peinture à l'huile, les pigments sont des couleurs pures d'origine minérale ou organique (végétale ou animale), extraites chimiquement ou mécaniquement. Ils se présentent en général sous la forme d'une poudre, plus ou moins fine selon le procédé de broyage utilisé.

La qualité d'un pigment est liée à son origine et à son pouvoir colorant (capacité de colorer une superficie déterminée). Elle est aussi liée à sa densité, ou son pouvoir couvrant, c'est-à-dire à sa capacité de masquer le support sur lequel il est étendu. Ainsi, certaines couleurs peuvent couvrir une grande surface tout en laissant « respirer » la couleur sous-jacente.

Autres composants

Si les couleurs à l'huile sont essentiellement le produit de l'association de pigments et d'huile de lin, on peut néanmoins leur ajouter d'autres ingrédients qui leur confèrent des propriétés spécifiques : séchage plus rapide (siccatif au cobalt), aspect velouté (cire) ou finition brillante (vernis) ; quant à l'essence de térébenthine, elle leur sert de solvant, permettant de fluidifier la pâte.

L'emploi à bon escient de ces divers composants permet de faire de la peinture à l'huile le plus souple et le plus noble des médiums picturaux.

Huile et pigment, éléments de base de la peinture à l'huil

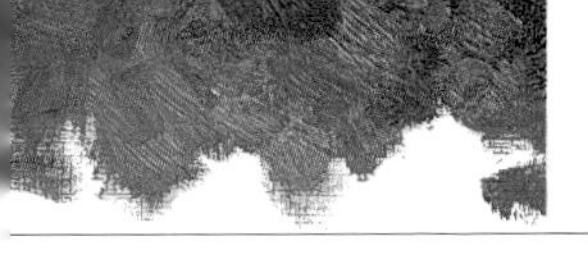

Gravure du XVIIe siècle. Un artiste en train de préparer ses couleurs.

Évolution des techniques de fabrication

Le processus de fabrication de la peinture à l'huile a bénéficié, au cours des siècles, de progrès techniques. À l'origine, les artistes broyaient le pigment sur un carreau de marbre, puis y ajoutaient progressivement l'huile, en mélangeant constamment avec une raclette jusqu'à l'obtention d'une pâte uniforme et compacte ; de nos jours, on continue encore à fabriquer la couleur de cette façon artisanale, mais certains artistes se servent aussi pour, mélanger les ingrédients, d'un batteur de cuisine ou d'un agitateur monté sur une perceuse électrique.

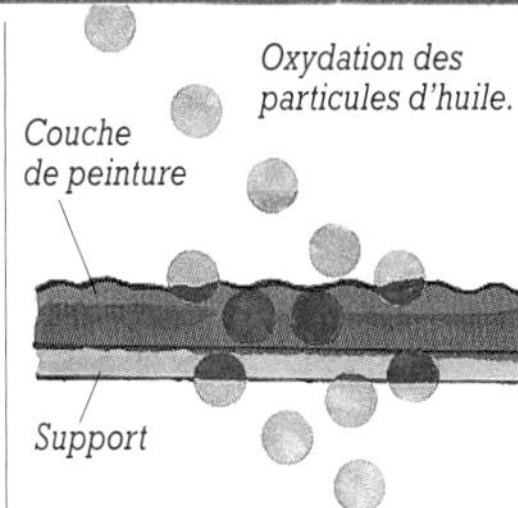

Lenteur du processus de séchage

La peinture à l'huile a pour liant, comme son nom l'indique, de l'huile ; contrairement aux autres liants, l'huile ne se dessèche pas par évaporation. Son séchage se produit par réaction chimique avec l'oxygène de l'air. C'est donc le processus d'oxydation qui est à l'origine du durcissement de la peinture ; ce séchage se produit peu à peu, des couches superficielles aux couches inférieures. Par conséquent, suivant son épaisseur, la peinture prendra plus ou moins de temps à sécher complètement.

L'huile de lin « respire », de telle sorte que la peinture à l'huile étendue sur un support et exposée à l'air finira par sécher entièrement, mais au bout d'un certain temps seulement, permettant à l'oxygène d'atteindre peu à peu la moindre particule de peinture.

La lenteur de séchage de la peinture à l'huile facilite la tâche de l'artiste, qui dispose de plus de temps pour travailler et effectuer d'éventuelles corrections. Par ailleurs, les couleurs sont inaltérables après séchage et conservent toute leur luminosité.

Bazille, L'Atelier du peintre. *L'adoption de la toile comme support de la peinture à l'huile a amené les peintres à employer de plus en plus cette technique.*

Adoption d'un nouveau support : la toile

Avant l'apparition de la peinture à l'huile, les œuvres étaient élaborées sur des supports rigides, essentiellement des panneaux de bois, car les médiums picturaux employés étaient trop fragiles après séchage. Avec l'huile, on s'est aperçu qu'il n'était plus nécessaire d'avoir recours à de tels supports, lourds et peu maniables (certains continuent néanmoins à les employer de nos jours), et qu'une toile convenablement préparée et tendue sur un châssis pouvait tout à fait supporter la charge picturale.

Un nouvel angle de vue

Jusqu'au XVe siècle, les peintres peignaient sur de petites tables ou des pupitres légèrement inclinés. Ainsi travaillaient, entre autres, les enlumineurs de manuscrits dans les couvents. Avec l'apparition de la peinture à l'huile, médium plus consistant, la table servant de support pictural put être redressée en position verticale, sans risque de coulures. Ce progrès améliora l'angle de vue du peintre et facilita son travail.

Disciple de Quentin Massys, Saint Luc peignant la Vierge et l'Enfant.

POUR EN SAVOIR PLUS

• Composition de la peinture à l'huile **p. 10**
• Préparation des couleurs **p. 12**

BREF HISTORIQUE. DE LA DÉTREMPE À L'HUILE

Hormis la qualité des huiles aujourd'hui employées dans sa fabrication et l'existence de pigments synthétiques, la peinture en elle-même n'a pas subi de grands changements. Seule sa présentation a évolué, les tubes ayant permis de résoudre les problèmes de conservation et de transport auxquels ont été confrontés initialement les artistes.

Introduction de l'huile en Italie

Il est difficile de situer dans le temps l'apparition de la peinture à l'huile, mais on sait qu'elle existait déjà au Moyen Âge dans les Flandres (XIVe siècle). L'un des précurseurs de cette technique fut le peintre flamand Jan Van Eyck (1390-1441). Environ un siècle plus tard, elle fut introduite en Italie, certainement par le biais de quelques miniatures flamandes. L'impact de la technique et de la couleur fut tel que dès le XVIe siècle on peut parler de véritable essor de la peinture à l'huile. Non seulement les maîtres flamands ont révélé la richesse de cette technique par la facture méticuleuse de scènes d'intérieur et portraits de la nouvelle classe naissante (la bourgeoisie), mais les peintres de cour l'ont rapidement adoptée, séduits par le réalisme sans précédent qu'elle permettait d'atteindre.

Van Eyck, Portrait des époux Arnolfori. *Un témoignage de l'introduction de la peinture à l'huile en Italie au XIVe siècle.*

Une tradition ancienne

Depuis l'apparition de l'huile, de la Renaissance italienne à nos jours, l'étude de la technique et de son processus pictural a constitué le principal centre d'intérêt des étudiants en arts plastiques. Contrairement à l'évolution des différentes tendances artistiques à travers les siècles, l'huile a réussi à s'affirmer de manière définitive sur les palettes de tous les artistes, indépendamment du style qu'ils ont choisi d'adopter.

Bien qu'appartenant sans aucun doute à une longue tradition, la technique de l'huile n'en a pas moins été vecteur d'évolution et de modernité tout au long de l'histoire de l'art.

Ingrédients d'une peinture à la détrempe.

Flacon de pigment pour la fresque.

Avantages par rapport à la détrempe

Avant l'apparition de l'huile, les artistes peignaient à la détrempe, ou peinture *a tempera*. Suivant le procédé pictural employé, la détrempe était composée de pigments liés à l'œuf ou à la colle.

Quand la peinture à l'huile a été introduite des Flandres, détrempe à l'œuf et peinture *à fresque* étaient les deux techniques picturales les plus couramment employées. Avec l'apparition de l'huile, les artistes les ont peu à peu abandonnées au profit de ce nouveau médium. Par rapport à la détrempe, l'huile présentait de nombreux avantages : mélanges et retouches pouvaient être effectués à tout moment ; elle permettait aussi d'obtenir une gamme de couleurs plus riche et traduisant mieux la réalité, présentant en outre l'avantage de bien résister au temps.

Découverte de la perspective

Durant la Renaissance italienne, une multitude d'événements ont influé tant sur la société que sur l'art. La découverte de la perspective fut déterminante dans le domaine de la représentation picturale. Dérivée des principes architecturaux, elle fut adaptée à la peinture, permet-

Raphaël, Les Noces de la Vierge. *Un bon exemple de maîtrise de la perspective...*

tant d'affiner la représentation du réel. Les peintres ont adopté les règles de Brunelleschi, architecte italien, dont les études de perspective en peinture à l'huile jouaient avec la lumière et l'effet de profondeur. Léonard de Vinci, Andrea Mantegna et tous les maîtres de l'époque ont étudié à partir de l'huile la variation des couleurs des éléments dans l'espace, l'effet de profondeur et les ombres.

L'huile remplace la détrempe

En 1200, Théophile Rugierus rédigea un traité de peinture, *Diversarium Artium Schedula,* dans lequel il recommandait l'emploi d'huile de lin et de gomme arabique. Jusqu'en 1410, les artistes ont eu recours à la peinture à la détrempe, seule technique employée pour exécuter miniatures et enluminures, icônes, tableaux, retables et décors muraux. Certains artistes ont alors découvert que le passage d'une couche d'huile de lin sur une œuvre peinte à la détrempe donnait aux couleurs plus d'éclat et d'intensité.

Mantegna, Vierge à l'Enfant, *une des premières peintures à l'huile.*

Gradation de la couleur

L'huile permet à l'artiste, tant par sa densité que par sa texture, d'obtenir une large gamme de dégradés de couleurs, et de travailler à son rythme, prolongeant à sa guise les séances de peinture, ce qui n'était pas possible avec la fresque et la détrempe. Le fait que les couleurs conservent une parfaite stabilité à tout stade de l'élaboration de l'œuvre offre la possibilité de réaliser une infinité de gradations tonales sans courir le risque qu'elles soient altérées par le séchage. C'est l'une des raisons pour lesquelles la technique de l'huile a été rapidement adoptée par les peintres de la Renaissance.

Gamme de couleurs à l'huile et leur gradation tonale.

Stabilité à la lumière

Les couleurs ont généralement tendance à se dégrader quand elles sont exposées à la lumière. La peinture à l'huile fait partie des médiums les plus résistants à ce phénomène de photosensibilisation, car l'huile sert de couche protectrice aux pigments qui la composent. Elle présente donc une excellente stabilité à la lumière, contrairement à la détrempe, qui a tendance à perdre progressivement de son éclat initial si elle subit une exposition constante à la lumière. À l'origine, on ne tenait pas vraiment compte de cette particularité, considérée comme une conséquence naturelle du passage du temps.

Carnations et drapés

La découverte de la peinture à l'huile a apporté la solution à l'un des principaux problèmes auxquels les peintres étaient confrontés : les carnations et les drapés étaient jusqu'alors difficiles à représenter car la détrempe restreignait le fondu des couleurs. Bien que les derniers maîtres de la fresque et de la peinture à la détrempe, comme Giotto, aient réalisé de grands progrès dans ces domaines, ces deux techniques furent surpassées par les possibilités qu'offrait l'huile. La multitude de nuances pouvant être obtenues avec l'huile a constitué à l'époque une amélioration considérable.

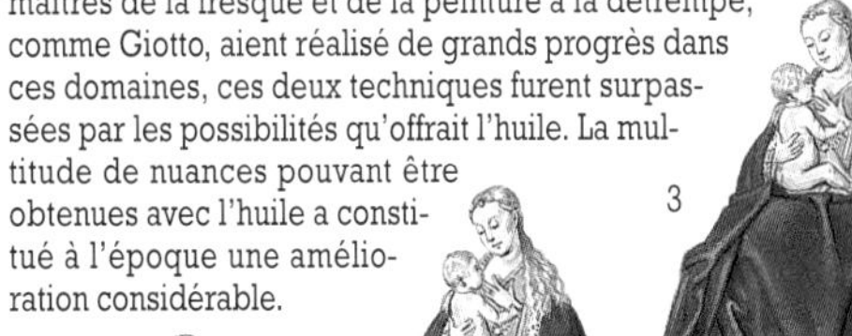

1. Les ombres des plis sont définies par une teinte quasi transparente. 2. Une nuance plus soutenue est ensuite employée pour intensifier l'ensemble du rouge et les ombres des plis. 3. Enfin, une teinte claire sert à souligner les zones les plus lumineuses.

POUR EN SAVOIR PLUS

- Couleurs et pigments **p. 14**
- Peinture à l'huile, qualités et marques **p. 18**
- Préparation des différents supports **p. 24**

COMPOSITION DE LA PEINTURE À L'HUILE

La composition de la peinture à l'huile est assez simple, mais la nature de ses ingrédients peut s'avérer aussi délicate que complexe. Mieux vaut donc bien les connaître pour les employer à bon escient et élaborer un produit de qualité optimale. L'aspect des couleurs varie en fonction du degré de transparence du médium.

Types d'huile

L'huile de lin est irremplaçable dans la fabrication de la peinture à l'huile. Extraite des graines du lin, cette huile est un excellent liant. Non raffinée, elle est visqueuse et de teinte jaunâtre ; elle peut cependant être utilisée comme médium gras sans altérer la plupart des couleurs, à l'exception des pigments blancs, qui ont tendance à jaunir après séchage.

L'huile de lin raffinée est le médium idéal : claire et limpide, elle peut être mélangée au pigment sans autre altération que la hausse de ton qui découle de l'humidification du pigment.

La qualité de l'huile peut varier selon les ingrédients entrant dans sa composition. Certains fabricants y incorporent une certaine quantité de siccatif au cobalt, de telle sorte qu'il suffit de la mélanger au pigment pour obtenir une couleur prête à l'emploi. Il peut arriver, quand on ne connaît pas bien le produit, que l'on ait du mal à contrôler le temps de séchage de l'huile.

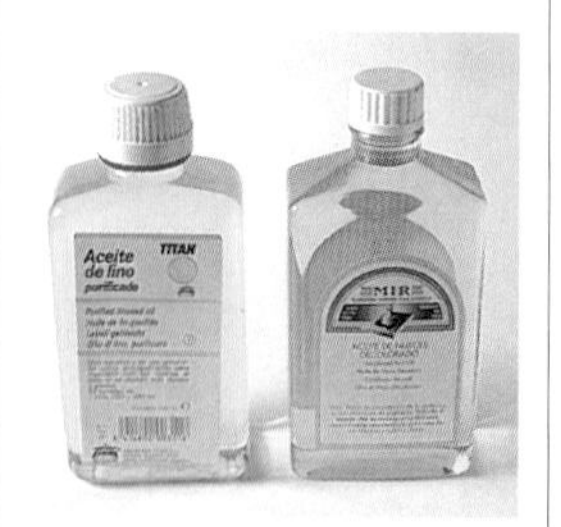

Huile de lin et huile de noix.

Vernis de finition.

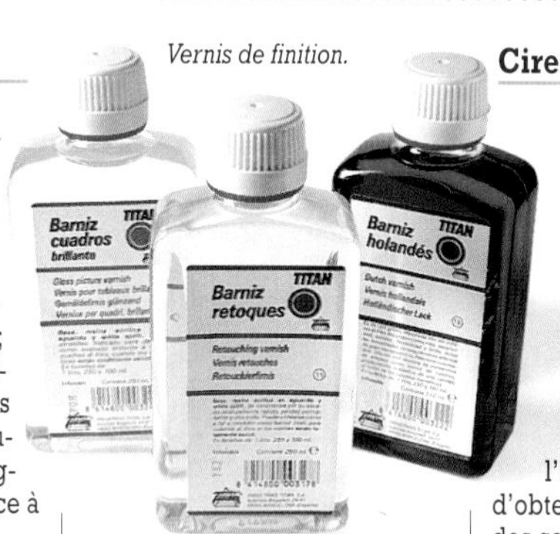

Vernis

Une couleur à l'huile se compose essentiellement d'un pigment associé à de l'huile de lin et de l'essence de térébenthine. Cependant, l'addition d'un vernis a toujours été d'une grande aide pour les peintres.

On peut utiliser une grande variété de vernis, mais le plus courant est une résine naturelle connue sous le nom de *vernis Dammar*, laquelle, patiemment dissoute au bain-marie puis dans de l'essence de térébenthine (naturelle, provenant de la distillation de la résine du pin), est totalement compatible avec l'huile, et lui procure un éclat intense après séchage.

Il existe aussi des vernis de finition qui s'appliquent en fine couche sur la surface picturale sèche ; ils peaufinent l'aspect définitif de l'œuvre et la protègent contre les agressions (poussières, taches, frottements, etc.). Si le travail réalisé le mérite et les produits employés sont de qualité, le vernis de finition doit être le plus transparent possible. Enfin, respectez toujours un délai de séchage assez long avant de vernir un tableau.

Cire

Il n'est pas toujours souhaitable qu'une œuvre peinte à l'huile présente une surface brillante, la présence de reflets pouvant être gênante. L'un des avantages que présente ce médium est qu'on peut en modifier à volonté la texture et l'aspect. Ainsi, l'addition de cire permet d'obtenir une texture veloutée et des couleurs plus profondes, aux nuances plus délicates.

Cire.

L'idéal est d'employer de la cire d'abeille diluée dans de l'essence de térébenthine. Il n'est pas nécessaire d'acheter ce produit dans les boutiques de fournitures pour artistes ; on peut aussi en trouver dans les drogueries.

La cire procure une finition satinée et apporte des nuances qui pallient la tendance naturelle de la peinture à l'huile à rester brillante après séchage. Par ailleurs, une petite quantité de cire intimement incorporée à la couleur à l'huile, de façon à former un mélange homogène, permet d'éliminer les irrégularités de brillance à la surface de l'œuvre achevée.

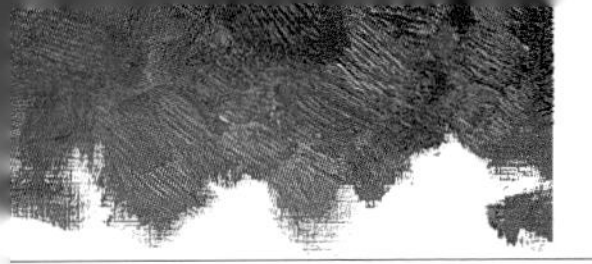

Les premières techniques

Les premières peintures à l'huile, qui se distinguaient par une impressionnante gamme tonale et un subtil fondu des couleurs, étaient exécutées la plupart du temps à partir de glacis. Le sujet était tout d'abord minutieusement dessiné à l'aide d'un pinceau fin et de *verdaccio* (un mélange de blanc, noir et ocre). Ensuite, l'artiste recouvrait cette esquisse d'une fine couche de la même teinte, élaborant à partir de la monochromie la gradation des valeurs du tableau et laissant en réserve les zones devant rester les plus lumineuses. Puis il abordait la peinture des drapés, et poursuivait par la représentation des formes architecturales, réservant pour la fin la peinture du visage et des mains.

Glacis au bitume de Judée

Certains produits ne sont pas absolument nécessaires à la composition de la peinture à l'huile proprement dite, mais autorisent cependant l'emploi d'un large éventail de techniques, notamment celle des glacis. Cette technique consiste à étendre une mince couche de couleur transparente sur les couleurs déjà sèches d'une œuvre pour en harmoniser les teintes et leur donner plus d'éclat et de profondeur.

Certains bitumes à base d'huile permettent d'obtenir des tonalités particulières quand on recherche une certaine monochromie : c'est le cas du bitume de Judée, diluable à l'essence de térébenthine qui, comme tous les autres médiums huileux, possède la particularité de faire lui-même office de glacis selon la densité à laquelle on l'emploie.

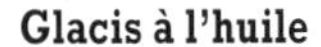

Bitume de Judée.

Glacis à l'huile

C'est la façon la plus courante de diluer la peinture pour faire un glacis ; elle exploite l'une des caractéristiques que peut offrir la peinture à l'huile, à savoir la transparence. Ainsi, si vous diluez une petite quantité de peinture dans l'huile qui entre dans sa composition, vous en modifierez la tonalité, sans toutefois lui faire perdre sa transparence.

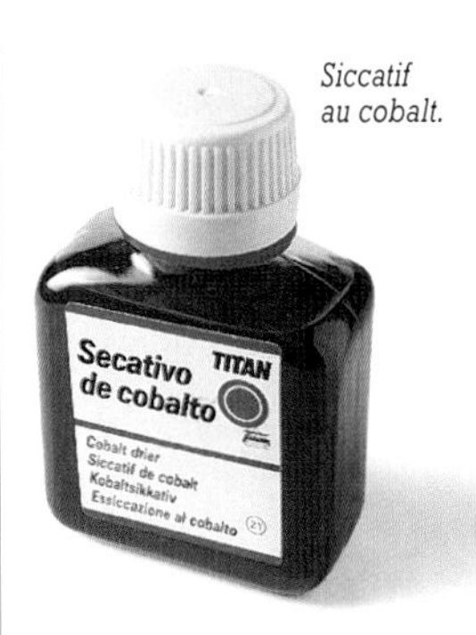

Siccatif au cobalt.

Siccatif au cobalt

Ce produit ajouté à la peinture à l'huile permet d'en réduire le temps de séchage. Vous pouvez vous en procurer dans les magasins de fournitures pour artistes. Il s'agit en fait d'un dérivé du cobalt qui accélère les mécanismes d'oxydation responsables du durcissement des films de peinture à l'huile. Il opère surtout en surface, étant plutôt destiné à régulariser et accélérer le séchage des couches fines. Mais il faut veiller à l'employer à bon escient et à le doser avec soin, sous peine de constater des altérations irréversibles dans l'œuvre peinte, allant de la perte de la luminosité des couleurs à la formation de craquelures dans la couche picturale, voire à son décollement du support. De nombreux fabricants commercialisent une huile de lin renfermant déjà un siccatif. De même, la plupart des couleurs à l'huile vendues en tube en contiennent déjà.

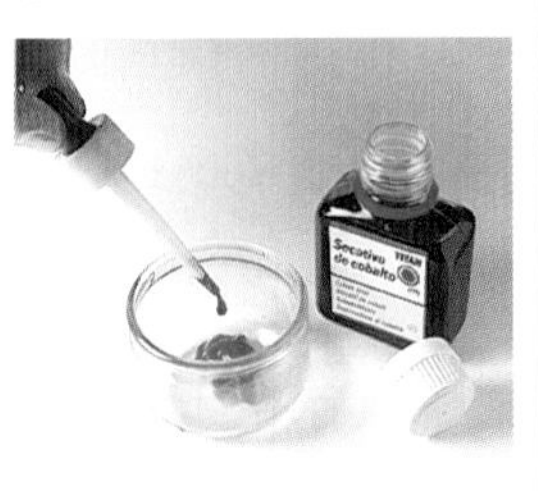

Addition de siccatif à la peinture.

Types de pigments

Les couleurs des peintures à l'huile sont déterminées par les pigments, éléments essentiels à leur élaboration.

Ils peuvent être d'origine minérale, comme les terres, les dérivés d'oxydes, le blanc d'argent et de titane, et les cadmiums. Ou encore d'origine végétale, extraits du charbon de bois pour le noir ou d'autres végétaux, pour le carmin et quelques jaunes et verts.

De même, certains pigments organiques proviennent d'insectes ; ces couleurs sont en général très appréciées, rares et coûteuses. On les utilise aussi dans la fabrication des rouges à lèvres. Le choix des pigments détermine en partie la qualité des couleurs à l'huile, leur pouvoir couvrant et leur viscosité.

Pigments purs.

POUR EN SAVOIR PLUS

• Qu'est-ce que l'huile ? **p. 6**
• Préparation des couleurs **p. 12**
• Couleurs et pigments **p. 14**

PRÉPARATION DES COULEURS

Les couleurs étaient à l'origine préparées artisanalement, et certains artistes continuent aujourd'hui à les fabriquer eux-mêmes, en dépit de la commercialisation de peintures prêtes à l'emploi. Le procédé de fabrication est simple, il suffit d'avoir le temps et le matériel nécessaires.

Fournitures pour la fabrication d'une peinture à l'huile de qualité

Avant de se lancer dans la fabrication de couleurs, il faut avoir conscience des contraintes qu'impose la manipulation de matériaux aussi volatils que les pigments. Ce n'est pas forcément un travail salissant; il suffit de prendre quelques précautions : protéger à l'aide de journaux les alentours du plan de travail, prévoir des chiffons pour essuyer les souillures et travailler si possible dans un endroit sans courants d'air – qui doit tout de même être bien ventilé. Pour fabriquer une bonne peinture, vous aurez besoin des matériaux suivants :

- *Pigments*. Vous pouvez vous en procurer dans les magasins spécialisés vendant des fournitures pour artistes; ils sont vendus en flacon ou au détail. Leur qualité est fonction de leur prix.
- *Huile de lin*. Elle peut être raffinée ou non raffinée et renfermer ou non un siccatif. Vous pouvez l'acheter au détail ou conditionnée en flacon.
- *Siccatif au cobalt*. N'achetez-en que si l'huile de lin n'en renferme pas déjà.
- *Cire d'abeille*. Achetez-la en petite quantité (100 g suffisent pour un certain temps). Ce produit économique ne s'altère pas.
- *Essence de térébenthine*.
- *Un mortier en métal et un pilon, de préférence en verre*.
- *Une plaque de marbre ou de verre d'environ 50 x 70 cm*.
- *Un couteau large*.
- *Des bocaux à large ouverture avec couvercle*.

Broyage des pigments

Il faut avant tout déterminer la quantité de peinture à l'huile à fabriquer; il est préférable de commencer par de petites quantités les premières fois pour s'accoutumer au dosage.

Broyez le pigment s'il n'est pas encore assez fin pour éviter la formation de grumeaux lors de l'incorporation de l'huile. Déposez la quantité nécessaire de pigment dans le mortier et broyez-le d'un mouvement lent et continu du poignet, en exerçant une pression sur le fond.

Si vous projetez de fabriquer plusieurs couleurs à l'huile, mieux vaut achever la fabrication d'une couleur avant d'entreprendre celle d'une autre.

Densité des pigments

Vous constaterez que les pigments n'ont pas tous la même consistance ou la même densité; il convient d'insister sur l'importance du broyage du pigment : veillez à ce qu'il soit aussi fin que possible avant de le mélanger à l'huile, quel que soit le temps que cela peut vous demander.

Verre ou marbre

Le mélange du pigment et de l'huile s'effectue sur une surface lisse et non poreuse; vous pouvez employer un carreau de marbre ou de verre, ces deux matériaux convenant l'un comme l'autre parfaitement. En général, le marbre est préféré pour sa plus forte résistance. Si vous utilisez un carreau en verre, choisissez-le d'environ 7 mm d'épaisseur pour qu'il ne se brise pas sous la pression, et posez-le sur une surface parfaitement plane et lisse.

Vous voici maintenant équipé pour apprendre à maîtriser la technique de fabrication de la peinture à l'huile. Armé de patience, vous obtiendrez, avec la pratique, d'excellents résultats.

ÉTAPES DE FABRICATION ARTISANALE DE LA PEINTURE À L'HUILE.

1. Déposez le pigment sur le carreau de marbre.

2. Écrasez le pigment en ajoutant l'huile.

Conditionnement des couleurs

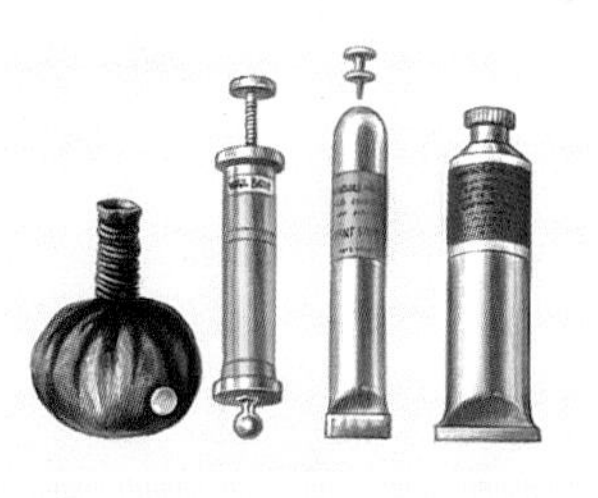

Depuis l'invention des couleurs à l'huile, leur mode de conditionnement a connu bien des changements : d'abord conservées dans des vessies de porc, elles furent peu à peu stockées dans des récipients en verre. Le tube métallique est une invention relativement récente puisqu'elle remonte à moins d'un siècle.

Premier mélange

Déposez trois cuillerées à soupe de pigment au centre du carreau de marbre, sous forme de monticule. Puis versez à côté une cuillerée de médium (huile de lin et essence de térébenthine à parts égales) et mêlez à une petite quantité de pigment avec la spatule. Celui-ci s'humidifie au contact de l'huile et vous constaterez immédiatement que la quantité de pigment donne alors l'impression d'être moins importante, car le niveau de saturation de l'huile est assez élevé. C'est pourquoi il est nécessaire que la quantité d'huile employée soit largement inférieure à la quantité de pigment. Commencez par mélanger ainsi une partie de l'huile et du pigment en les malaxant bien à la spatule.

Attendez que ce premier mélange soit homogène avant d'incorporer un peu plus de pigment; puis, en procédant toujours de la même façon, continuez à incorporer progressivement le pigment par petites quantités, de façon à éviter la formation de grumeaux.

Malaxage

Continuez ainsi à amalgamer peu à peu le pigment déposé sur le carreau de marbre ou de verre et la pâte déjà produite, jusqu'à l'obtention d'une couleur sous forme de poudre, en évitant toutefois la saturation. La couleur en pâte devient ainsi de plus en plus compacte; quand elle atteint la consistance d'un yaourt, commencez à la malaxer avec la spatule et le pilon, en écrasant le pigment sur la surface du carreau, de telle sorte que le mélange devienne à la fois plus consistant et plus homogène.

Incorporation d'autres ingrédients

Quand vous aurez obtenu une couleur à l'huile de la bonne consistance, similaire à celle d'une pâte dentifrice, vous lui ajouterez, si vous le jugez nécessaire, quelques gouttes de vernis Dammar ou de siccatif au cobalt.

Employez avec modération le siccatif au cobalt : trois ou quatre gouttes pour trois cuillerées à soupe d'huile sont amplement suffisantes pour accélérer le séchage de la peinture.

Conservation de la peinture à l'huile

Quand vous aurez fabriqué la quantité appropriée de peinture à l'huile, vous pourrez la conserver dans des pots fermés.

Recueillez la masse de peinture à la spatule, puis déposez-la dans les pots en tassant bien avec la spatule et en lissant correctement la surface vers les bords.

Si vous ne devez pas utiliser la peinture avant un certain temps, celle-ci se conservera parfaitement bien si vous la recouvrez d'un peu d'eau avant de boucher le pot; cela lui évitera d'entrer en contact avec l'air et, par conséquent, de se dessécher.

La composition de la peinture à l'huile fait que les couleurs sont stables après séchage.

POUR EN SAVOIR PLUS

- Qu'est-ce que l'huile ? **p. 6**
- Composition de la peinture à l'huile **p. 10**
- Couleurs et pigments **p. 14**

3. Malaxez jusqu'à l'obtention d'une pâte homogène.

4. Récupérez la couleur pour la conserver dans un pot.

COULEURS ET PIGMENTS

Les couleurs à l'huile sont déterminées, comme pour tout autre médium pictural, par celles des pigments qui les composent. Elles sont en général classées par groupes en fonction de leur teinte et de leur origine : blanc, jaune, rouge, bleu et vert, brun et noir. Suivant leur nature – minérale ou organique –, les pigments confèrent à la peinture diverses propriétés : opacité, luminosité, pouvoir couvrant ou rapidité de séchage.

Les blancs

Les plus courants sont le blanc de plomb (ou blanc d'argent), le blanc de zinc et le blanc de titane.

• *Blanc d'argent* (ou blanc de plomb). Très opaque, il possède un grand pouvoir couvrant. Il sèche vite. En revanche, il est extrêmement toxique non seulement par contact avec la peau mais aussi par inhalation.

• *Blanc de zinc*. Il est moins dense, moins couvrant et sèche plus lentement que le blanc d'argent.

• *Blanc de titane*. Son temps de séchage satisfaisant, son excellente opacité et sa grande stabilité dans le temps en font le pigment le plus apprécié par les artistes.

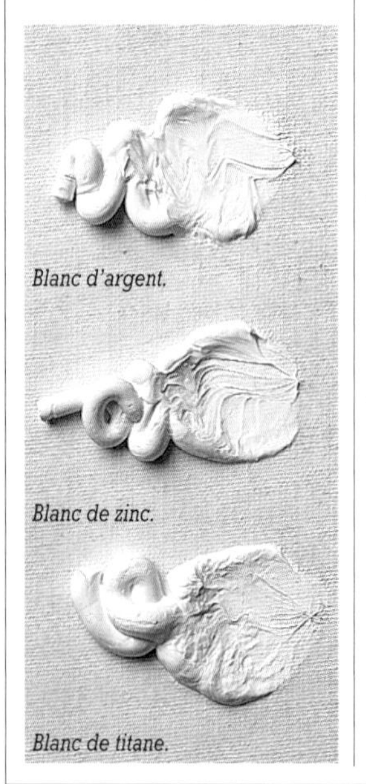

Blanc d'argent.

Blanc de zinc.

Blanc de titane.

Les jaunes

• *Jaune de Naples*. Provenant de l'antimoniate de plomb, il est opaque et sèche bien. Il est très toxique, comme tous les dérivés du plomb. C'est une couleur très employée pour les carnations.

• *Jaune de chrome*. Également dérivé du plomb, et par conséquent d'une haute toxicité. Il offre une multitude de nuances, possède une bonne opacité et sèche bien, mais résiste mal à la lumière.

• *Jaune de cadmium*. Il sèche lentement, mais c'est une bonne couleur, puissante, brillante, susceptible d'être mélangée à toutes les autres couleurs, excepté celles dérivées du cuivre.

Jaune de chrome.

Jaune de cadmium.

Ocre jaune.

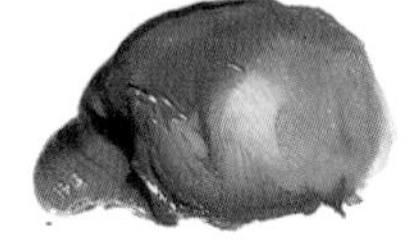

Terre de Sienne naturelle.

• *Ocre jaune*. Comme son nom l'indique, c'est une couleur à base de terre. Elle possède un grand pouvoir couvrant, est inaltérable à la lumière et peut être mélangée à tout autre couleur.

• *Terre de Sienne naturelle*. Originaire de Sienne, en Italie, c'est le jaune le plus « terreux ». C'est une couleur très brillante et couvrante. Elle peut néanmoins avoir tendance à noircir.

Les rouges

• *Terre de Sienne brûlée*. Elle possède les mêmes caractéristiques que la terre de Sienne naturelle, mais a moins tendance à noircir.

• *Rouge vermillon*. Lumineux et séchant lentement, il a néan-

Terre de Sienne brûlée.

Vermillon.

Rouge de cadmium.

Carmin de garance.

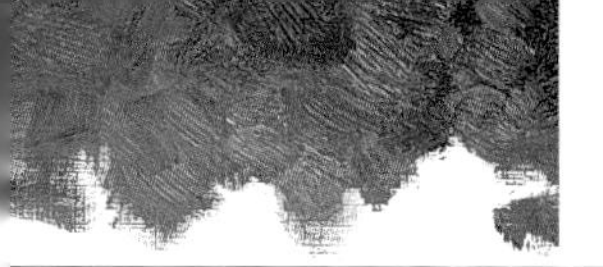

moins tendance à s'obscurcir au contact de la lumière. Il n'est pas recommandé de le mélanger au blanc de plomb ou aux dérivés du cuivre.

• *Rouge de cadmium*. Brillant, d'un grand pouvoir colorant et stable à la lumière, c'est le meilleur substitut du vermillon.

• *Carmin de garance*. Ce rouge très riche offre une vaste gamme de nuances. Une couleur très fluide et à séchage lent.

Les bleus et les verts

• *Vert permanent*. C'est une couleur claire et lumineuse, dérivée d'un mélange d'oxyde de chrome et de jaune citron de cadmium. Il offre une bonne stabilité à la lumière et un bon pouvoir couvrant, et peut être mélangé à toutes les couleurs.

• *Terre verte*. Couleur dérivée de l'ocre fournissant un vert brunâtre d'une bonne opacité et d'une rapidité de séchage moyenne.

• *Vert émeraude*. Excellente couleur, tant par sa richesse tonale que par sa stabilité à la lumière et son pouvoir couvrant.

• *Bleu de cobalt*. C'est une couleur d'origine métallique, non toxique, offrant une excellente opacité. Elle peut toutefois se craqueler si on l'étend sur des couches de peinture non sèches.

• *Bleu outremer*. Aujourd'hui fabriqué artificiellement, il était à l'origine extrait du lapis-lazuli, pierre semi-précieuse. Il sèche normalement et présente une opacité satisfaisante. Il a une tendance plus chaude que le bleu de cobalt.

• *Bleu de Prusse*. Il possède un grand pouvoir colorant, une bonne transparence et sèche bien, mais a tendance à se décolorer lorsqu'il est exposé à la lumière.

Les bruns

• *Terre d'ombre naturelle et brûlée*. Ces deux couleurs sont des terres naturelles calcinées qui ont tendance à noircir avec le temps. Comme elles sèchent rapidement, il est conseillé de les employer en couches épaisses.

• *Terre de Cassel ou brun Van Dyck*. D'une tonalité foncée à tendance grise, c'est une couleur qui présente l'inconvénient de se craqueler facilement.

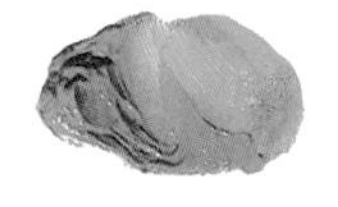

Vert permanent.

Vert émeraude.

Bleu de cobalt.

Bleu outremer.

Bleu de Prusse.

POUR EN SAVOIR PLUS

• Peinture à l'huile, qualités et marques **p. 18**
• Fondu des couleurs **p. 62**

Terre d'ombre naturelle.

Terre d'ombre brûlée.

Terre de Cassel ou brun Van Dyck.

Brun.

Les noirs

• *Noir de fumée*. De nuance plutôt froide, il est stable et peut être employé dans toutes les techniques et avec toutes les couleurs.

• *Noir d'ivoire*. C'est un noir plus intense et plus chaud que le précédent, pouvant aussi être employé avec toutes les couleurs.

Assortiment de couleurs

Voici les couleurs les plus couramment employées :
Blanc de titane.
Jaune de cadmium citron.
Jaune de cadmium moyen.
Ocre jaune.
Terre de Sienne brûlée.
Terre d'ombre brûlée.
Rouge de cadmium.
Carmin de garance foncé.
Vert permanent.
Vert émeraude.
Bleu de cobalt foncé.
Bleu outremer foncé.
Bleu de Prusse.
Noir d'ivoire.

ADDITIFS SPÉCIAUX : CIRE, LIANTS ET VERNIS

Suivant les ingrédients employés dans la fabrication de la peinture à l'huile, celle-ci peut posséder des caractéristiques uniques que n'offrent pas les produits prêts à l'emploi, commercialisés dans les magasins spécialisés. Ce genre de préparation demande du temps et exige certaines compétences en matière de « cuisine » ; il est souhaitable de faire au préalable des essais et de comparer les résultats.

Cire d'abeille

La cire d'abeille se trouve dans les drogueries ou magasins de fournitures pour artistes. Associée à la peinture à l'huile, elle lui confère de la matité et lui donne un aspect satiné, velouté. Les peintres ajoutent couramment de la cire à la peinture, mais le processus réclame un certain soin.

Vous pouvez vous procurer de la cire en pain ou en copeaux ; dans ce dernier cas, il est beaucoup plus facile de la faire fondre. Faites-la chauffer au bain-marie et, quand elle est fondue, sans la retirer du feu, ajoutez l'essence de térébenthine pour retarder son durcissement. Il suffit d'ajouter quelques gouttes de cire à la peinture à l'huile pour en modifier la brillance.

Faites fondre la cire au bain-marie.

A. Huile de lin.
B. Huile d'œillette.
C. Huile de noix.

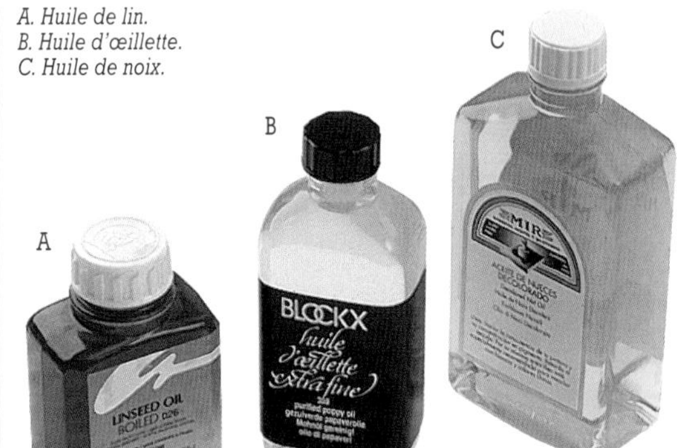

Choisir une huile de qualité

Les huiles vendues dans le commerce sont de qualités variables ; choisissez celle qui convient le mieux à vos besoins. Certaines sont d'une grande transparence, une propriété idéale pour mettre en valeur les couleurs des pigments. Les huiles les plus couramment employées sont l'huile de lin, d'œillette et de noix. La plus utilisée est l'huile de lin, mais si vous choisissez l'huile d'œillette, provenant du pavot, sachez qu'elle est plus claire, mais sèche plus lentement.

Par ailleurs, l'huile renferme parfois des additifs qui peuvent jouer sur sa qualité. Si vous voulez une huile de bonne qualité, employez des produits qui ont fait leurs preuves.

Solubilité

La peinture à l'huile est soluble dans l'essence de térébenthine, l'huile de lin et certains médiums ; elle peut également être mélangée avec des cires et tous types de pigments. Le résultat final dépend des additifs incorporés à la peinture à l'huile durant sa fabrication. Ces additifs ne sont que des compléments facultatifs car la base de la peinture à l'huile est un mélange à parts égales d'huile et d'essence de térébenthine.

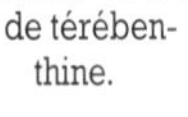

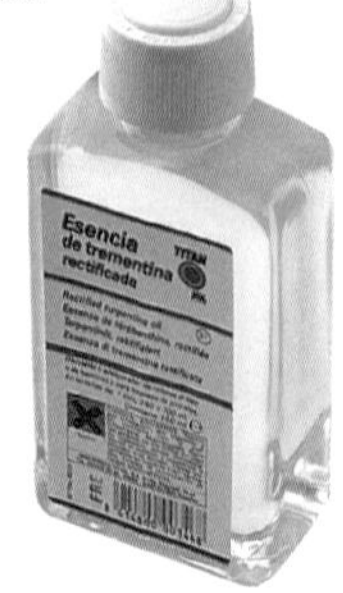

Huile d'œillette et essence de térébenthine

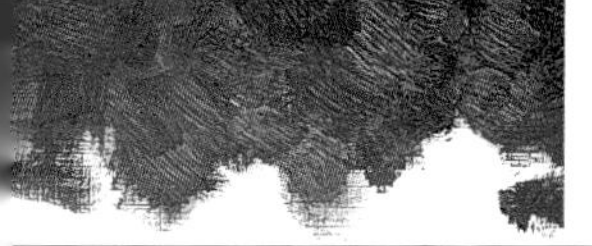

Vernis à retoucher

Composé d'une résine synthétique et d'un solvant volatil, le vernis à retoucher sèche rapidement et permet de corriger les inégalités de brillance à la surface d'un tableau.

Très fin et très discret, il est idéal pour renourrir les zones de la couche picturale qui ont perdu leur éclat. Il permet ainsi de supprimer les embus, c'est-à-dire les zones devenues ternes, mates, parce que le support a absorbé l'huile. Ces matités accidentelles se produisent quand une nouvelle couche est appliquée sur une couche insuffisamment sèche, plus perméable à l'huile.

Vernis à retoucher.

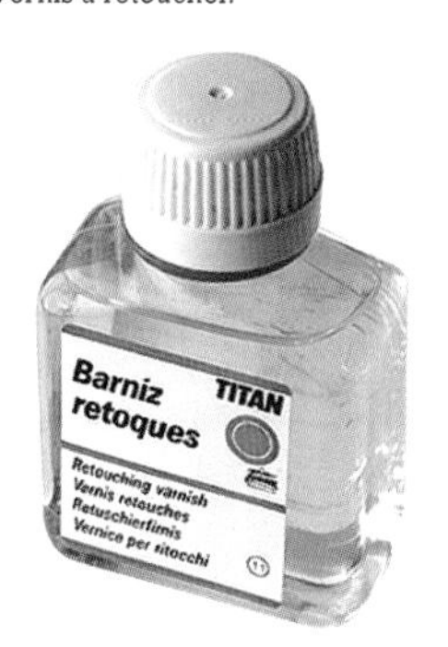

Vernis de finition

Ces vernis servent à la fois à raviver l'éclat d'une œuvre achevée et à la protéger. Leur application ne peut se faire que lorsque la peinture est tout à fait sèche. Le temps de séchage de la couche picturale varie suivant son épaisseur ; il est en général compris entre six mois et un an.

Ce délai de séchage est influencé par les conditions atmosphériques locales. Il faut savoir que la peinture à l'huile ne sèche pas par évaporation mais par oxydation ; rien ne vaut donc une pièce sèche et bien ventilée pour stocker un tableau en cours de séchage.

POUR EN SAVOIR PLUS

- Effets de texture **p. 74**
- Additifs de texture **p. 76**

Vernis mats, satinés ou brillants

Différents vernis sont commercialisés en flacon ou en bombe aérosol. Le vernis brillant ravive l'éclat et l'intensité des couleurs. Le vernis mat permet d'éliminer complètement les reflets pouvant nuire à une vision correcte de l'œuvre, mais présente l'inconvénient d'atténuer l'éclat des couleurs. Le vernis satiné offre à la fois l'avantage d'être discret et de mettre en valeur les teintes du tableau.

Vernis Dammar

Ce vernis à base d'une résine naturelle, la résine Dammar, extraite d'espèces arborées tropicales, est le vernis le plus employé en peinture à l'huile. Mélangé avec des couleurs, il donne d'excellents résultats.

Si vous achetez la résine en vrac, sélectionnez de préférence des fragments incolores ou jaune clair, toujours exempts d'impuretés. Le solvant idéal de la résine Dammar est l'essence de térébenthine ; bien que l'alcool puisse aussi faire l'affaire, il n'est toutefois pas recommandé, car présentant peu d'affinités avec la peinture à l'huile. Résine Dammar et essence de térébenthine sont à mélanger dans la proportion de 2,2 kg de résine pour 3,7 litres de térébenthine.

La résine Dammar se présente sous forme de grains. On la fait fondre au bain-marie avec une petite quantité d'essence de térébenthine, en remuant constamment. Ajoutée en petite quantité à la peinture à l'huile, elle lui confère un brillant profond, en rehausse la couleur et en accentue la luminosité.

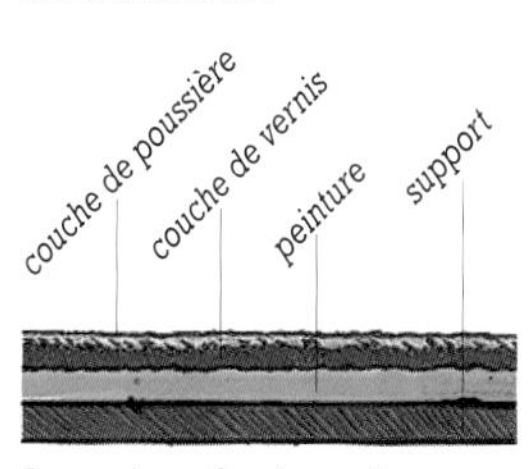

Le vernis protège la couche picturale des différentes agressions (poussière, humidité, etc.).

Gras sur maigre

Pour éviter craquelures et décollements de surface avec le temps, il faut suivre cette règle d'or de la peinture à l'huile : peindre gras sur maigre. Cela signifie qu'il faut diluer plus fortement à l'essence de térébenthine les premières couches que les couches suivantes. En effet, si vous peignez sur une base trop maigre, celle-ci absorbera l'huile des couches supérieures, les desséchant ; et si les premières couches sont plus riches en huile que les couches supérieures, la différence entre les temps de séchage des couches entraînera la formation de craquelures.

Vernis Dammar.

Dilution de résine Dammar dans l'essence de térébenthine.

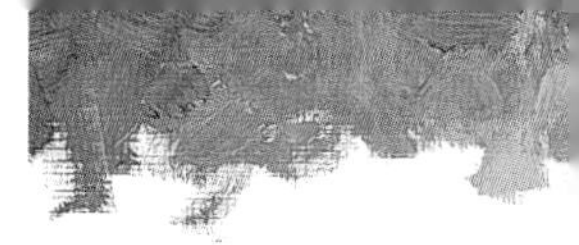

PEINTURE À L'HUILE, QUALITÉS ET MARQUES

Choisir une peinture à l'huile peut sembler déroutant, étant donné le large éventail de présentations, de qualités et de prix. Chaque fabricant commercialise des gammes de couleurs de qualités différentes sous des marques elles aussi différentes. Certaines marques sont synonymes de qualité, c'est-à-dire qu'elles offrent la garantie d'une sélection rigoureuse des divers éléments entrant dans la composition de leurs produits.

Différences de qualité

De nos jours, même les fabricants qui depuis toujours étaient connus pour la qualité moyenne de leurs couleurs à l'huile élaborent des peintures de bonne qualité. Il va de soi que ces produits ne peuvent toutefois être considérés comme équivalents aux produits haut de gamme des meilleures maisons. Cette différence réside dans la finesse et la concentration du pigment ; plus la teneur en pigment est élevée, plus dense est la couleur de la peinture. Ainsi, les couleurs à l'huile haut de gamme ou extrafines possèdent un pouvoir couvrant et un éclat bien supérieurs à ceux des couleurs appartenant à des gammes de prix et de qualité inférieures.

En fait, un produit de qualité supérieure ne revient pas forcément plus cher qu'un produit de qualité inférieure, car il possède un rendement bien meilleur. Ainsi, un jaune de cadmium extrafin a un pouvoir couvrant six ou sept fois supérieur à celui d'un produit de qualité inférieure.

Choisir une qualité en fonction de ses besoins

Au moment de peindre un tableau, la qualité des produits employés influera de manière décisive sur l'élaboration de l'œuvre et son aspect définitif ; c'est pourquoi il est toujours préférable d'employer des peintures qui soient au moins de qualité moyenne. Les gammes inférieures ou d'usage scolaire donnent de piètres résultats, les couleurs manquent en général d'éclat et sont souvent sujettes, une fois sèches, à la formation de craquelures.

C'est pourquoi il est recommandé d'employer des couleurs commercialisées par des fabricants renommés et de choisir la gamme qui correspond le mieux à ses besoins. En fait, l'emploi de telle ou telle qualité dépend de la finalité du travail projeté : si vous envisagez de peindre croquis ou esquisses qui ne demandent que des aplats superficiels, il n'est pas nécessaire d'avoir recours aux meilleurs produits.

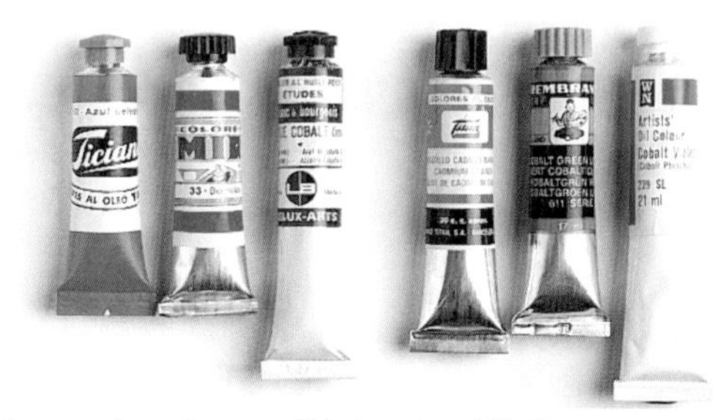

Diverses présentations et qualités de couleurs à l'huile.

Acheter ou fabriquer ?

La fabrication des couleurs à l'huile est un travail qui exige de la patience et une certaine dextérité. Cependant, une fois que l'on a acquis la technique, on peut ainsi obtenir des produits d'une grande qualité. Fabriquer soi-même ses couleurs présente l'avantage d'en contrôler parfaitement la composition et de l'adapter à ses besoins. On peut ainsi varier la densité, la brillance, ou en moduler comme on le souhaite la tonalité.

Certaines couleurs possèdent cependant des caractéristiques très particulières qui rendent leur processus de fabrication plus délicat. Ainsi, certains pigments réagissent au contact de l'huile en s'obscurcissant de façon excessive et ne peuvent être employés qu'à faible dose, ce qui

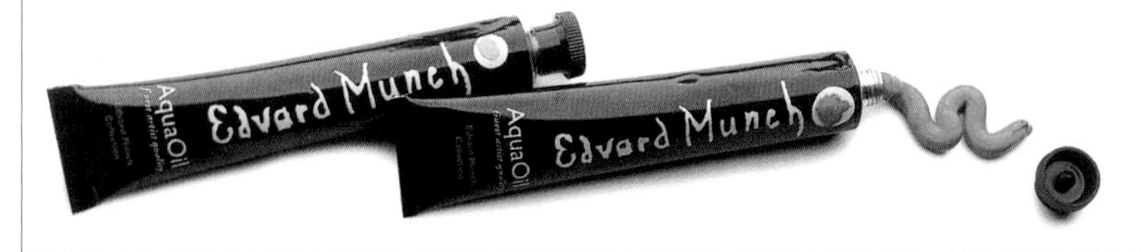

Peinture à l'huile fluide de différentes couleurs.

diminue donc leur pouvoir colorant ; un mauvais emploi de ces pigments peut conduire à une altération de l'éclat et de l'intensité des couleurs. Il est alors préférable de les acheter sous forme de couleurs toutes prêtes.

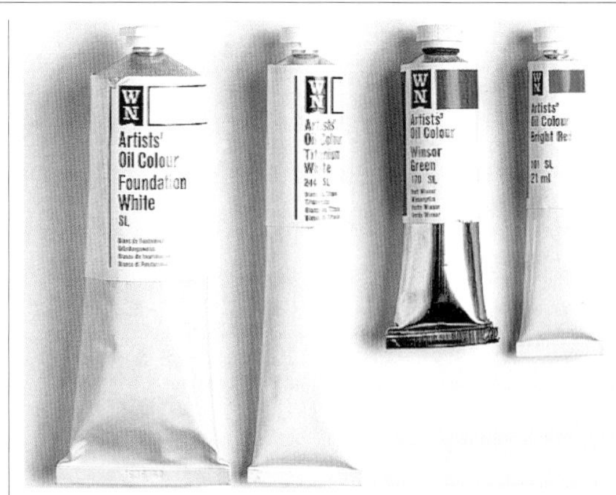

Quantité nécessaire

Suivant la fréquence de votre travail, vous aurez besoin de quantités plus ou moins importantes. Dans le commerce, vous trouverez divers conditionnements, allant du tube de 20 ml à la boîte de 1 kg. Faites preuve de discernement au moment d'acheter de la peinture. N'oubliez pas que vous n'aurez pas à utiliser toutes les couleurs dans la même quantité et aussi souvent. Par exemple, la couleur blanche est l'une des plus employées en peinture à l'huile et elle est en général achetée en tube de 200 ml. En revanche, certaines couleurs sont rarement employées, comme les cadmiums que l'on utilise pour enrichir la teinte d'une couleur plus pauvre ; en ce cas, vous n'aurez besoin que de faibles quantités de peinture, de tubes de petite taille ou de taille moyenne.

Compatibilité entre couleurs de diverses qualités

Les couleurs à l'huile peuvent être mélangées entre elles indépendamment de la marque ou gamme de qualité à laquelle elles appartiennent, hormis les incompatibilités avec certaines couleurs dérivées du cuivre. Certaines qualités moyennes des plus grandes marques devraient donner de très bons résultats, et leur mélange avec des couleurs de qualité supérieure permettre d'obtenir des nuances vraiment

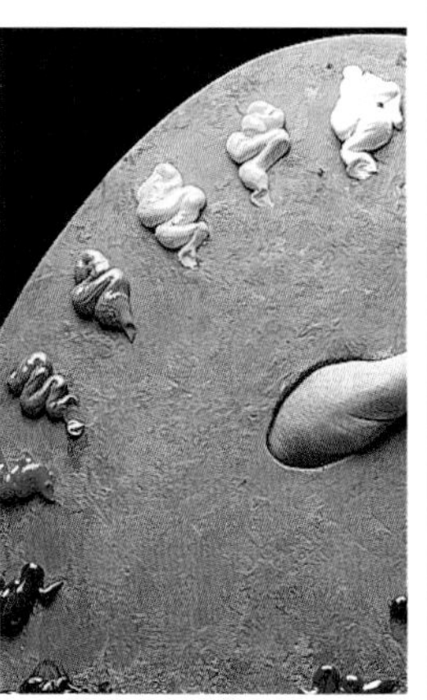

riches. Il faut bien connaître les marques employées.

Importance du médium

Non seulement il faut employer des couleurs à l'huile de différentes marques pour diversifier sa palette, mais encore il est souhaitable de disposer d'un médium gras pour enrichir les mélanges. Choisissez de préférence un produit de qualité supérieure, en vous assurant qu'il ne contient pas de siccatif au cobalt.

Si vous le fabriquez vous-même, sélectionnez une bonne huile de noix et la meilleure essence de térébenthine.

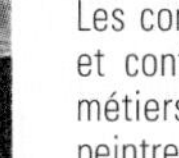

L'atelier du peintre

Les corporations protégeaient et contrôlaient les différents métiers ; la corporation des peintres était exigeante envers ses compagnons, qui devaient devenir des maîtres et ainsi s'établir à leur compte. L'apprenti pouvait ainsi passer plusieurs années à effectuer des tâches comme le broyage des pigments, la fabrication des couleurs, etc.
Aujourd'hui, la plupart des peintures sont fabriquées industriellement par des professionnels ayant acquis une spécialisation dans ce domaine.

La fabrication manuelle de la peinture à l'huile (en haut) est aujourd'hui remplacée par un processus mécanique (en bas).

POUR EN SAVOIR PLUS

- Composition de la peinture à l'huile **p. 10**
- Couleurs et pigments **p. 14**

PRÉPARATION DES DIVERS SUPPORTS : TOILE

La qualité du support est déterminante dans la réussite d'une peinture à l'huile. Vous pouvez peindre avec ce médium sur pratiquement n'importe quelle surface, à condition qu'elle soit en bon état et correctement préparée. Si ce n'est pas le cas, la couche picturale risque de se craqueler, et les couleurs de perdre leur éclat et leur richesse.

Format du châssis

Les formats du châssis sont universels. On trouve sur le marché trois formats standardisés correspondant aux trois thèmes suivants : figure (ou portrait), paysage et marine. Les châssis sont classés selon un numéro qui en définit les mesures. Dans le tableau des mesures internationales, on trouve des tailles allant du n° 1 au n° 120. Ainsi, un châssis n° 1 mesure 22 x 16 cm dans le format Figure, 22 x 14 cm dans le format Paysage et 22 x 12 cm dans le format Marine.

DIMENSIONS INTERNATIONALES DE CHÂSSIS

N°	FIGURE	PAYSAGE	MARINE
1	22 x 16	22 x 14	22 x 12
2	24 x 19	24 x 16	24 x 14
3	27 x 22	27 x 19	27 x 16
4	33 x 24	33 x 22	33 x 19
5	35 x 27	35 x 24	35 x 22
6	41 x 33	41 x 27	41 x 24
8	46 x 38	46 x 33	46 x 27
10	55 x 46	55 x 38	55 x 33
12	61 x 50	61 x 46	61 x 38
15	65 x 54	65 x 50	65 x 46
20	73 x 60	73 x 54	73 x 50
25	81 x 65	81 x 60	81 x 54
30	92 x 73	92 x 65	92 x 60
40	100 x 81	100 x 73	100 x 65
50	116 x 89	116 x 81	116 x 73
60	130 x 97	130 x 89	130 x 81
80	146 x 114	146 x 97	146 x 90
100	162 x 130	162 x 114	162 x 97
120	195 x 130	195 x 114	195 x 97

Choix de la toile

Les meilleures toiles pour peindre à l'huile sont les toiles de coton et, surtout, de lin. Les toiles de lin se distinguent des toiles en coton par leur plus grande rigidité et leur teinte plus soutenue.

Différentes qualités de toiles.

La toile, comme tout support pictural, se distingue par son épaisseur et sa texture, ou *grain*, déterminées par la grosseur du fil qui a servi à la tisser. Au moment de choisir la toile, il faut tenir compte de sa finalité, c'est-à-dire du genre de travail que vous projetez et du type de peinture que vous pensez utiliser.

Certaines toiles sont préparées exclusivement pour la peinture à l'huile, pour des techniques mixtes (acrylique et huile) ou exclusivement pour des peintures acryliques. Vous pouvez aussi acheter une toile brute que vous préparerez ensuite en fonction de vos besoins.

Tension et montage

Que la toile soit ou non enduite, il est nécessaire de la tendre, que ce soit pour y peindre directement dessus ou la préparer. Procurez-vous un morceau de toile de lin dont les dimensions sont de deux centimètres supérieures à celles du châssis, épaisseur des montants comprise, de façon à pouvoir l'envelopper et fixer la toile sur l'envers.

Posez le châssis sur l'envers de la toile, en veillant à tourner vers le haut la surface plane du châssis (si vous observez soigneusement les montants du châssis, vous verrez que l'une des plus larges de leurs faces est légèrement inclinée par rapport aux autres : elle est taillée en biseau, s'amincissant de l'extérieur vers l'intérieur).

Pour tendre la toile sur le châssis, commencez par l'agrafer d'un côté, du centre vers les bords, en étirant bien la toile. Puis agrafez-la de la même manière sur le montant opposé en la tendant bien. Agrafez ensuite les deux autres côtés en alternant chaque fois de façon à progresser de la même manière de part et d'autre et éviter ainsi que la toile fasse des plis.

Vous constaterez que la toile forme une sorte de bec à chaque angle : repliez-le sur l'un des montants et agrafez-le.

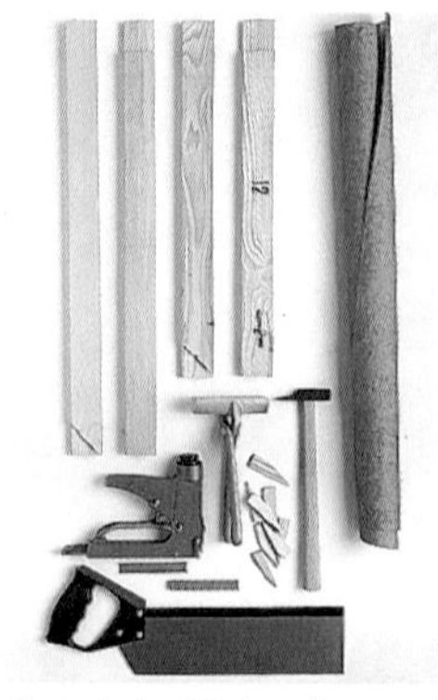

Montants de châssis, toiles et outils pour préparer un support.

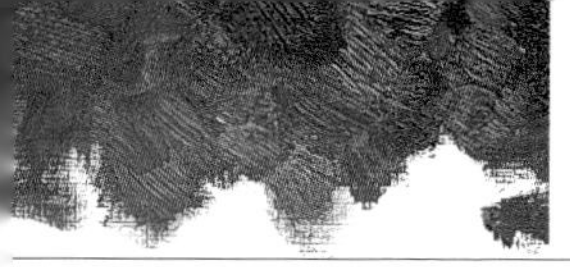

Montant de châssis.

Agrafage de la toile.

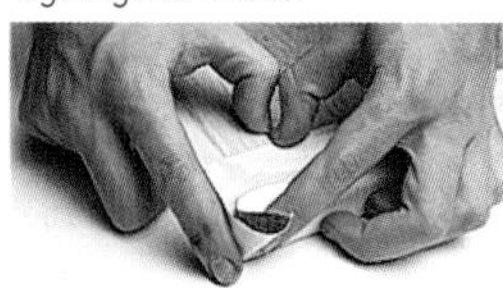

Repliage des angles.

Colle de peau

L'un des produits employés pour préparer la toile est la colle de peau, commercialisée dans les magasins de fournitures pour artistes. Laissez ramollir pendant 24 heures 70 g de colle dans un litre d'eau, puis faites-la chauffer au bain-marie jusqu'à ce qu'elle soit entièrement dissoute.

Préparation traditionnelle

Avant que la colle ne refroidisse, appliquez-en au pinceau trois ou quatre couches sur la toile brute, puis laissez sécher. Cet apprêt à la colle imprègne et stabilise la toile, qui doit ensuite être enduite. Quand l'encollage est sec, mélangez les ingrédients suivants :

• Une part de blanc d'Espagne ou de blanc de chaux.

• Une part de blanc de zinc.

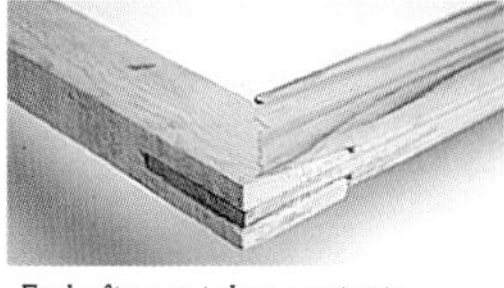

Emboîtement des montants.

Becs laissés dans les angles.

Agrafage de la toile sur l'envers.

• Une part de solution de colle.

Malaxez les composants de façon à obtenir un mélange onctueux. Faites chauffer le mélange au bain-marie. Étendez cet enduit sur la toile en trois couches successives passées dans différentes directions.

Application d'un apprêt au latex ou acrylique

Une manière beaucoup plus rapide de préparer la toile est d'employer des colles ou résines déjà prêtes à l'emploi. Différentes préparations vendues comme apprêts ou enduits ont l'avantage d'être rapides et commodes à utiliser. Les impressions au latex ou aux résines synthétiques sont vite appliquées et restent souples et homogènes une fois sèches. Les premières couches doivent être plus fluides, pour bien imprégner la toile ; une fois sèches elles peuvent être recouvertes de couches plus épaisses, mélangées à du blanc d'Espagne.

Léonard de Vinci et la préparation des toiles

Léonard préparait ses toiles et panneaux de bois en les recouvrant d'une couleur à tendance grisâtre ou brunâtre, parfois d'un *verdaccio* clair, produit des restes de couleurs qu'il avait préalablement fabriquées. Cet apprêt de couleur lui servait à élaborer l'esquisse du tableau, en intégrant fond et figure par de délicats *sfumatos*.

Impression au gesso

Le gesso est un type d'enduit pour toile vendu prêt à l'emploi et qui peut être utilisé tel quel, sans autre additif. Il s'applique directement sur la toile brute, et peut servir à en texturer la surface s'il est employé en couche épaisse.

Préparation à l'essence de térébenthine

D'après Ralph Mayer (*Matériaux et Techniques d'art*), on peut préparer un excellent apprêt pour la peinture à l'huile en mélangeant une livre de blanc de plomb à 90 ml d'essence de térébenthine ; la pâte obtenue doit être uniformément appliquée ; elle sèche en deux ou trois jours ; au bout de ce délai, il faut la poncer, puis appliquer une nouvelle couche.

POUR EN SAVOIR PLUS

• Qu'est-ce que l'huile ? **p. 6**
• Montage d'une toile sur châssis **p. 36**

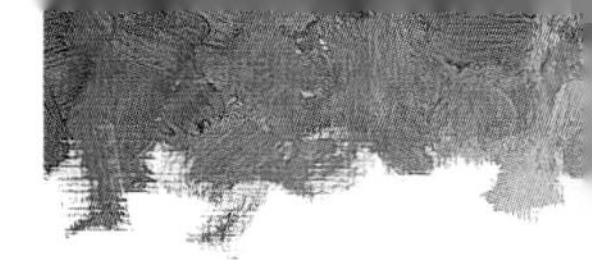

PRÉPARATION DES DIVERS SUPPORTS : PAPIER OU CARTON

Si le support classique de la peinture à l'huile est la toile, vous pouvez aussi peindre sur tout autre surface, à condition de bien la préparer. L'impression des supports a pour but d'éviter qu'ils n'absorbent l'huile de la peinture, ce qui non seulement les détérioreraient, mais nuirait à la bonne tenue de la peinture. Divers supports sont vendus prêts à l'emploi.

Qualité du papier

Papier et carton peuvent être d'excellents supports pour la peinture à l'huile. Vous trouverez dans le commerce différentes qualités de papier, certaines plus appropriées que d'autres à ce genre d'emploi, tant par leur composition que par leur grammage. Le papier peut être composé de cellulose (dérivée du bois) ou de fibres végétales comme le lin et le coton, et sa fabrication peut être mécanique ou artisanale. Le papier fabriqué à la main est plus coûteux, mais il a plus de caractère.

Une rame de papier contient 500 feuilles. Le poids de la rame et sa conversion en grammes par mètre carré en déterminent la force ou le grammage. Les papiers les plus forts sont ceux dont le grammage est supérieur à 370 g.

Pour que le papier ne boive pas les liquides, on le rend imperméable en incorporant à la pâte des substances qui en bouchent les pores : c'est le collage. Il varie en fonction de la destination du papier. Pour la peinture à l'huile, un bon apprêt est également nécessaire.

Papiers fabriqués à la main.

Carton entoilé.

Carton entoilé

Convenant parfaitement à la peinture à l'huile, le carton entoilé est une solution idéale pour les croquis pris en dehors de l'atelier. En général, les formats des cartons entoilés correspondent aux dimensions internationales des châssis. Mieux vaut cependant ne pas utiliser des formats supérieurs au n° 20.

Sa composition est simple : il s'agit d'une toile apprêtée, puis collée sur un carton rigide. Parmi les formats disponibles dans le commerce, certains sont adaptés aux dimensions des coffrets de peinture, ce qui les rend très maniables et facilite leur transport.

Tension et apprêt

Avant d'apprêter un papier, il est nécessaire de bien le tendre pour éviter les gondolements ou plis qui pourraient ensuite nuire à la qualité de votre travail. Si le papier choisi est assez fort, vous pouvez vous contenter de le fixer sur une tablette en bois à l'aide de punaises. En revanche, s'il a moins de tenue, vous devrez procéder de la façon suivante.

Commencez par l'humidifier entièrement pour en ouvrir les pores et dilater les fibres. Ensuite, posez le papier sur un support parfaitement plat et fixez-le avec du ruban de papier gommé après l'avoir bien lissé.

Durant son séchage, la fibre composant le papier se contracte pour revenir à son état initial, ce qui provoque une tension uniforme du papier.

Comment tendre le papier.

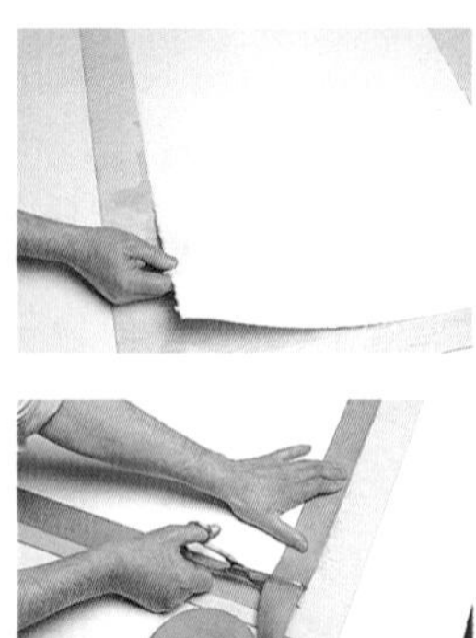

Support du papier

Insuffisamment rigide, le papier a besoin d'un support pour pouvoir être peint. S'il ne doit servir qu'à des croquis rapides, posez-le simplement sur une tablette ou un sous-main et fixez-le à l'aide de punaises ou de ruban adhésif. À moins que vous ne préfériez le monter sur un châssis comme s'il s'agissait d'une toile. La méthode est simple : commencez par humidifier le papier. Puis posez le châssis à l'envers du papier humide.

Un papier fort peut être fixé à l'aide de pinces à dessin sur un support rigide simple.

Comment monter le papier sur châssis.

Pratiquez des découpes en périphérie de la feuille. Encollez-les, puis fixez le papier sur le châssis en rabattant ces découpes sur l'envers du châssis. Après séchage, le papier sera tendu.

Collage du papier

En général, la pâte composant le papier est liée durant son processus de fabrication avec une certaine quantité de colle. Certains papiers contiennent plus de colle que d'autres, ce qui leur confère une certaine rigidité et une meilleure résistance aux traitements agressifs (dont la peinture). Il est recommandé de choisir un papier de fort grammage et, si possible, de fabrication artisanale, bien que plus coûteux.

Quoi qu'il en soit, le collage initial du papier ne vous dispense pas de l'apprêter avant de vous en servir pour peindre : pour ne pas être altérées, les fibres du papier doivent être isolées de l'huile contenue dans la peinture. Il est donc toujours recommandé d'étendre une préparation maigre entre la couche picturale et le support.

Papiers de couleur.

Préparation du carton

À l'instar du papier, le carton est commercialisé en différents grammages. Entre le bristol et le carton fort, vous disposez d'un large éventail de choix tant au niveau des textures que des formats. N'importe quel carton peut convenir à la peinture à l'huile mais, là encore, il est nécessaire de bien le préparer pour limiter sa grande capacité d'absorption.

Pour apprêter un carton, posez-le sur un support en l'assujettissant à l'aide d'agrafes et imprégnez-le d'une première couche de colle fluide. Attendez que cette couche soit sèche. Puis ajoutez à la colle un peu de blanc d'Espagne et de blanc de zinc et appliquez une seconde et dernière couche de ce mélange, perpendiculaire à la première.

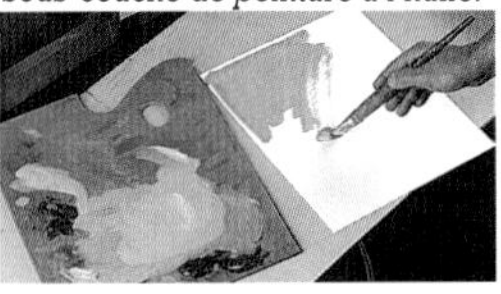

Sous-couche de peinture à l'huile.

Préparation au latex.

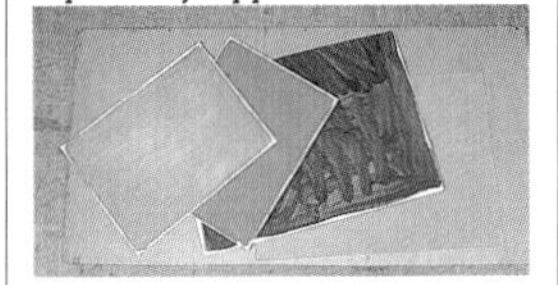

Papiers déjà apprêtés.

Les « cartons » de Cézanne

Cézanne a peint au moins 55 tableaux de la montagne Sainte-Victoire, interprétant le même thème de façons totalement différentes. Un grand nombre de ces œuvres ont été exécutées sur carton. La plupart des artistes se servent de carton comme support car non seulement il est rigide, mais encore plus léger et plus économique qu'une toile.

Avantages du latex

Le latex est une résine végétale maigre qui possède d'excellentes possibilités plastiques, tant par son élasticité que par sa transparence. Vous pouvez l'employer pour imprégner le support, mais aussi pour former la couche d'enduit sur laquelle vous peindrez. Vous en trouverez dans les magasins de fournitures pour travaux manuels. Il est diluable à l'eau tant qu'il n'est pas sec.

POUR EN SAVOIR PLUS

- Préparation des divers supports : toile **p. 20**
- Enduits acryliques, au latex et produits dérivés **p. 28**

AUTRES SUPPORTS : BOIS, ISOREL ET CONTREPLAQUÉ

À l'origine, avant l'adoption de la toile de lin, les artistes peignaient sur des panneaux de bois massif, qui avaient l'inconvénient d'être lourds et peu maniables. Aujourd'hui, on emploie plutôt des panneaux en fibres de bois plus minces et plus légers, montés sur châssis. En bois massif ou non, ces supports rigides doivent toujours être correctement préparés.

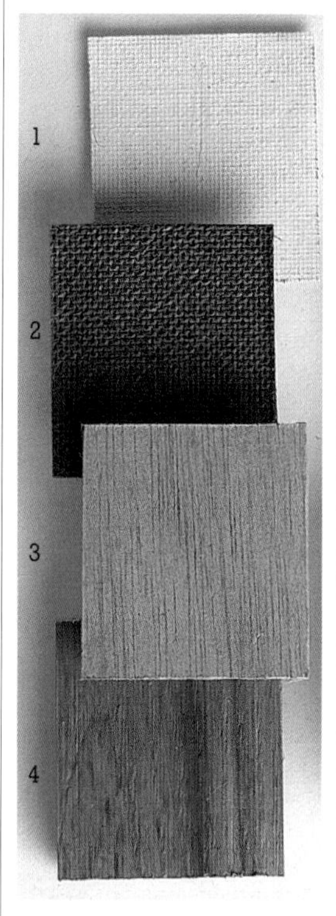

1. Carton entoilé. 2. Isorel. 3. Contre-plaqué. 4. Bois massif.

Impression d'un support.

Préparation des différents supports

Tant les panneaux d'isorel que les panneaux de bois massif ou de contre-plaqué doivent être recouverts d'un enduit servant de support à la couche picturale.

L'isorel, constitué de fibres de bois collées, agglomérées et fortement pressées, est vendu en panneaux de différentes épaisseurs ; sa préparation ne présente aucun problème car l'une de ses faces est extrêmement lisse et peu absorbante. Enduisez-la simplement de deux couches de latex mélangé à du blanc d'Espagne et du blanc de zinc pour obtenir une surface adéquate, prête à recevoir la peinture à l'huile.

Le contre-plaqué comme le panneau de bois massif requièrent des soins préparatifs plus complexes, car tous deux comportent des fibres de bois à l'état naturel ; plus vulnérables au taux d'humidité de l'air ambiant ou à d'autres facteurs atmosphériques, ils font l'objet de variations physiques plus importantes.

Ces supports naturels doivent être en premier lieu sélectionnés avec soin ; ils ne doivent pas présenter de nœuds, veines proéminentes ou autres irrégularités de surface.

Bouche-pores

La surface qui va servir de support à la peinture à l'huile doit en être isolée, tout en conservant la possibilité de «respirer» au travers de la couche picturale. C'est pourquoi on la recouvre d'une couche de bouche-pores, que l'on ponce finement après séchage. Ce produit d'impression peut s'acheter prêt à l'emploi ou être fabriqué à partir d'alcool et de gomme laque.

Une autre façon simple et rapide d'imprimer un support pour le rendre moins absorbant est d'en frotter uniformément la surface avec une gousse d'ail.

Bouche-pores liquide.

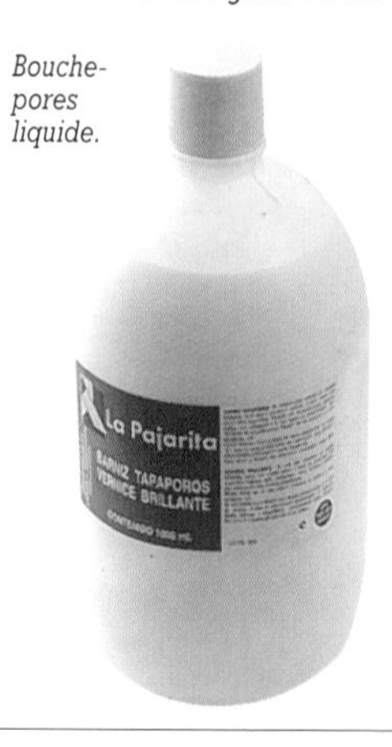

Blanc d'Espagne

Le blanc d'Espagne est l'un des produits que l'on utilise le plus pour l'impression des supports. Sa qualité alcaline fait qu'il forme une pâte homogène au contact d'un médium humide ; le blanc d'Espagne mélangé à la colle forme une crème fluide que vous pouvez appliquer au pinceau.

Commencez par imprégner le support de colle, puis laissez sécher et recouvrez d'une ou deux couches de colle mélangée à du blanc d'Espagne. Appliquez chaque couche perpendiculairement à la précédente, en laissant bien sécher et en ponçant avant l'application d'une nouvelle couche.

Ponçage final

Le ponçage est l'une des étapes les plus importantes de la préparation d'un panneau. Choisissez le papier abrasif en fonction de la finesse de la texture de sa surface, mais si vous avez appliqué correctement les différentes couches d'impression, il suffira de poncer légèrement en décrivant des cercles pour obtenir une surface lisse comme du verre.

Ponçage du support.

Croisement des couches d'apprêt.

Tableaux d'autrefois

Les artistes italiens peignaient autrefois sur des panneaux en bois de peuplier ; les peintres nordiques des XVIIIe et XIXe préféraient l'acajou. En revanche, les peintres anglais avaient pris l'habitude de se servir de panneaux de bois en provenance de meubles. Ceux-ci présentaient en effet l'avantage d'être plus solides, de se déformer beaucoup moins facilement et, notamment, de moins gauchir que les panneaux utilisés antérieurement.

Colle de peau

Vous pouvez aussi imprégner le support de colle de peau, mais faites preuve de mesure et travaillez en couches fines pour ne pas en détremper excessivement les fibres.

Préparez une colle de peau fluide et étendez-la sur le panneau dans le sens du fil du bois s'il s'agit de bois naturel. Quand cette première couche est bien sèche, vous la recouvrirez d'une seconde couche, appliquée dans l'autre sens. Faites ainsi quatre ou cinq passages, en les croisant chaque fois (un dans le sens longitudinal, un dans le sens transversal, et ainsi de suite). Prenez la précaution de poncer chaque couche quand elle est sèche avec un papier abrasif n° 1, puis un papier n° 0. La surface préparée doit être lisse. Vous pouvez ensuite la recouvrir d'un enduit pour lui donner de la texture.

Préparation d'un support à la colle de peau.

POUR EN SAVOIR PLUS

- Montage d'un panneau de bois sur châssis **p. 26**
- Enduits acryliques, au latex et produits dérivés **p. 28**

MONTAGE D'UN PANNEAU DE BOIS SUR CHÂSSIS

Le panneau de bois massif est le support rigide par excellence ou, à défaut, le contreplaqué ou le lamellé collé. En ce cas, les panneaux doivent avoir au moins 7 mm d'épaisseur. Si vous optez pour le contreplaqué ou le lamellé collé, les réactions de ces matériaux peuvent vous réserver quelques surprises. Ils sont formés de diverses plaques de bois minces, collées et pressées, à sens de fibres opposés ; cela leur confère une plus grande résistance que le bois massif, qui est plus susceptible de se fendre.

Préparation du châssis

En choisissant d'utiliser un panneau en contre-plaqué ou lamellé collé, vous sacrifiez l'épaisseur du panneau à la légèreté. Cette diminution d'épaisseur rend nécessaire le montage du panneau sur un châssis pour lui conférer plus de rigidité et un aspect plus massif. Vous pouvez employer n'importe quel châssis standard ou en fabriquer un à vos mesures, selon la taille que vous voulez donner à votre tableau. Découpez alors les liteaux aux mesures voulues et assemblez-les à l'aide de clous après avoir enduit leurs zones de contact de colle blanche.

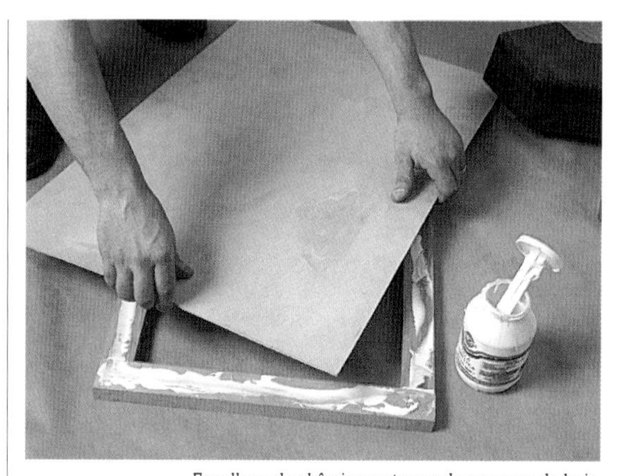

Encollage du châssis avant pose du panneau de bois.

Collage et clouage

La fixation du panneau de contre-plaqué sur le châssis se fait au moyen de colle et de clous sans tête, de préférence en acier inoxydable.

Le panneau de contre-plaqué doit être d'une taille supérieure à celle du châssis. Posez le châssis sur une surface plane. Puis enduisez uniformément de colle blanche la face supérieure de ses montants et posez le panneau de contre-plaqué par-dessus. Laissez prendre la colle en posant sur le panneau des objets lourds qui exerceront une pression suffisante, répartie de façon régulière sur toute sa superficie.

Au bout de quelques heures, retirez les objets et retournez le panneau de contre-plaqué vers le bas. Enfoncez alors des pointes tous les 5 cm.

Découpe au cutter

La planche de contre-plaqué se découpe facilement à l'aide d'un cutter. Pour découper l'excédent de contre-plaqué, posez l'ensemble sur plusieurs couches de carton pour ne pas endommager le plan de travail et repassez plusieurs fois le cutter le long des montants, en vous servant de leur chant comme guide. Le panneau sera ainsi découpé avec netteté.

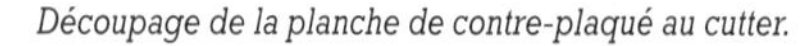

Découpage de la planche de contre-plaqué au cutter.

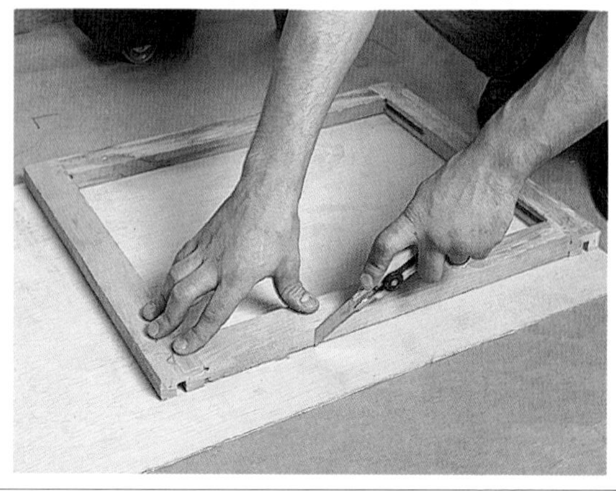

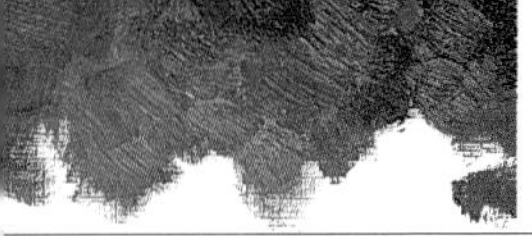

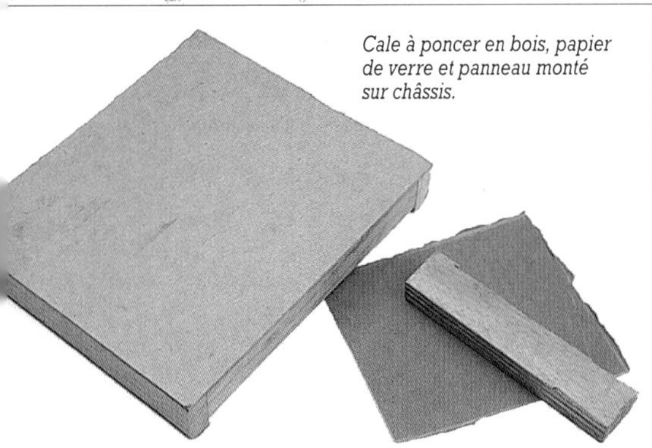

Cale à poncer en bois, papier de verre et panneau monté sur châssis.

Ponçage du panneau

Le panneau ainsi monté sur châssis ne pourra recevoir une première couche d'impression qu'après élimination de toutes les aspérités qu'il peut présenter en surface ou sur ses tranches.

Pour poncer et polir le bois, procurez-vous une cale à poncer ou prenez simplement un bout de bois que vous envelopperez dans du papier abrasif n° 1 ou 00.

Commencez par le papier n° 1 ; enveloppez votre morceau de bois dans la feuille de papier abrasif en la serrant étroitement avec la main. Sans exercer une pression excessive, poncez le bois par petits mouvements circulaires et de façon régulière. Quand l'ensemble de la surface est uniformément poncé, répétez ce processus, mais cette fois-ci avec le papier abrasif n° 00, le plus fin.

Emploi d'une ponceuse électrique

Pour obtenir un résultat régulier, vous pouvez aussi employer une ponceuse électrique. Elle vous facilitera le travail sur des surfaces dont la texture présente un relief plus prononcé.

Ne poncez le panneau de bois qu'après l'avoir solidement fixé au châssis. Pour recycler un support déjà recouvert de peinture, vous pouvez aussi le poncer, mais très légèrement, juste pour en aplanir les irrégularités et retrouver une surface lisse.

Ponçage des arêtes

Il est nécessaire que l'ensemble du support soit entièrement lisse. Le ponçage ne doit donc pas se limiter à sa face supérieure, mais s'appliquer aussi à ses arêtes. Ainsi, vous ne serez pas confronté à des problèmes d'accumulation du produit d'impression sur les bords.

Tenez la cale à poncer recouverte de papier n° 1 obliquement par rapport à l'arête. Faites plusieurs passages pour émousser l'arête et en éliminer toute irrégularité.

Le type de ponçage à adopter dépend du support choisi. Certains supports comme l'isorel ou le carton épais n'exigent pas de ponçage en surface, mais sur les bords seulement : veillez à toujours bien fixer ces matériaux par collage et clouage avant de les poncer car vous risqueriez alors de les déformer.

Le ponçage des arêtes est une opération simple et rapide.

La peinture sur bois

La peinture sur bois, quand ce dernier est correctement préparé, donne des résultats d'une grande finesse. Léonard de Vinci peignait sur tous types de supports, mais les œuvres qui se sont le mieux conservées jusqu'à nos jours sont ses peintures sur bois ; il en a peint un grand nombre et il aimait travailler sur ce support, dont la rigidité lui permettait de dessiner avec aisance et de pouvoir réaliser des ombres estompées au doigt ou à la mine de plomb, tâche rendue plus difficile par la texture plus grossière de la toile de lin et sa plus grande élasticité. L'un des exemples les plus célèbres de ses œuvres sur bois est le fameux portrait de *La Joconde*.

POUR EN SAVOIR PLUS

- Autres supports : bois, isorel et contre-plaqué **p. 24**
- Enduits acryliques, au latex et produits dérivés **p. 28**

ENDUITS ACRYLIQUES, AU LATEX ET PRODUITS DÉRIVÉS

Le support pictural, qu'il s'agisse de toile, de papier ou de bois, a besoin de subir une préparation qui empêche ses fibres d'absorber l'huile de la peinture. L'enduit traditionnel est la colle de peau ; mais d'autres produits d'impression – à base de résines végétales, comme le latex, ou de résines synthétiques acryliques – permettent aujourd'hui d'obtenir des résultats bien plus rapides et tout aussi efficaces.

Impression au latex

La résine végétale la plus employée pour les impressions est le latex. Ce produit épais et visqueux se dilue à l'eau et se comporte après séchage comme une matière plastique élastique et plus ou moins transparente selon son épaisseur.

Le latex possède un bon pouvoir couvrant et s'emploie tout aussi bien pour fabriquer des produits d'impression que certaines peintures.

En général, il est conditionné en boîtes de un à cinq kilos et vendu soit dans les boutiques de bricolage soit dans les magasins de fournitures pour artistes.

On en trouve de diverses qualités, et il est recommandé d'acquérir de préférence un produit haut de gamme pour limiter les problèmes éventuels. L'impression d'un support peut se faire au pinceau ou par pulvérisation, en deux couches au minimum si vous voulez bien fixer le support.

Impression au latex.

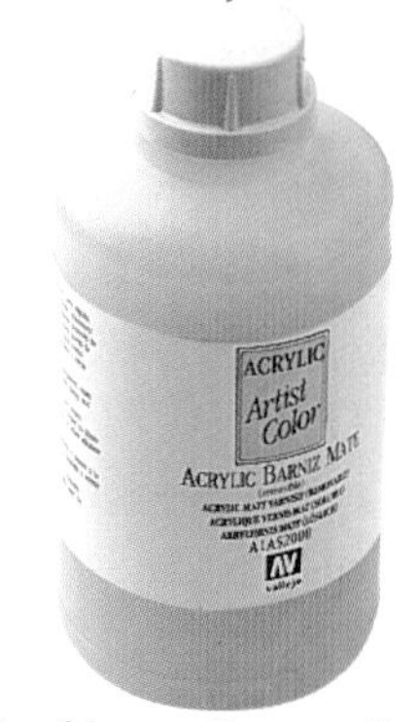

Les résines acryliques constituent un grand progrès dans le domaine de l'impression des supports.

Apprêts aux résines synthétiques

Les résines acryliques sont les plus couramment employées tant pour la fabrication de produits d'impression que de peintures. Ces résines s'obtiennent par émulsion d'un polymère acrylique ; elles sont commercialisées dans les magasins de fournitures pour artistes. En règle générale, il suffit de diluer la résine dans l'eau sans lui incorporer d'autre substance. Elle s'applique au pinceau ou par pulvérisation.

Les peintres emploient couramment du gesso, apprêt blanc ou teinté à base de résines acryliques pour préparer les supports à peindre, car il constitue un bon isolant entre le support et la couche picturale. Après le passage d'une première couche fluide pour bien imprégner le support, il peut recevoir, pour les couches suivantes, n'importe quel additif de texture.

Durabilité

D'une façon générale, les impressions à base de résines synthétiques comme de résines naturelles sont idéales pour la préparation de supports destinés à recevoir une peinture à l'huile. Une fois sèches, ces résines sont stables et élastiques, résistant bien au temps et offrant une excellente compatibilité avec l'huile.

Il est important que les premières couches d'impression soient fines et bien fluides pour qu'elles pénètrent correctement dans la fibre du support.

Relief ou couleur

Les impressions de supports à base de latex ou de résines acryliques sont parfaitement compatibles avec n'importe quel pigment et avec les différents additifs de textures employés pour donner plus de relief à la couche picturale.

Vous pouvez donc, au moment d'imprimer votre support, choisir un pigment qui vous permettra d'obtenir une coloration de fond en harmonie avec la gamme chromatique choisie.

Pour rendre le pigment soluble, il est nécessaire de le mouiller au préalable : laissez-le en suspension dans l'eau pendant quelques heures ; en général, il faut l'utiliser tel quel, avec l'eau qui a servi à l'humidifier.

Mélangez-le ensuite avec la résine en remuant bien jusqu'à l'obtention de l'intensité désirée. La solubilité du pigment dans la résine aqueuse est rapide à partir du moment où il est déjà humide.

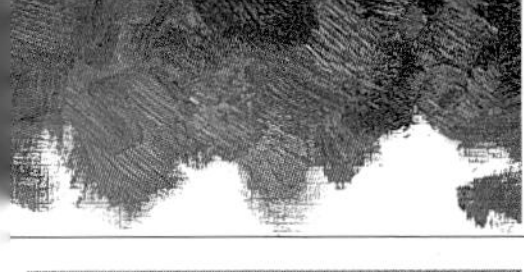

Panneau de bois imprimé au latex.

Panneau de bois imprimé au latex coloré à l'aide d'un pigment.

Séchage

Les impressions au latex et aux résines acryliques étant à base d'eau, leur séchage s'effectue par évaporation. La température ambiante est donc primordiale quand il s'agit de travailler avec ce type d'apprêts ; plus elle sera élevée, plus le temps de séchage sera court. En outre, l'impression à la résine synthétique sèche plus vite que celle au latex.

Le produit reste totalement soluble à l'eau tant qu'il est humide, mais ne l'est plus après séchage : nettoyez donc aussitôt les pinceaux en les passant sous l'eau tout en frottant la touffe de poils sur votre main. Si vous les laissez sécher sans les nettoyer, ils seront inutilisables.

Impression par pulvérisation

L'impression de supports peut se faire à l'aide d'un vaporisateur à bouche appelé aussi « fixateur ». Ce processus d'impression est assez efficace, à condition que le produit soit suffisamment fluide.

Esquisse préliminaire sur le bois après impression.

Solvants

S'il arrive par accident que vous laissez sécher un accessoire de peinture imprégné de produit au latex ou acrylique, le mieux est de vous en débarrasser. Si vous ne voulez pas vous résoudre à cette solution, il ne vous reste qu'à employer un solvant puissant, comme le trichloréthylène.

Prenez garde à la haute toxicité de ce solvant : son inhalation et son contact avec la peau sont à éviter absolument.

POUR EN SAVOIR PLUS

- Ébauche d'une œuvre **p. 52**
- Techniques mixtes et règle du gras sur maigre **p. 54**

Nettoyage des pinceaux sous le robinet.

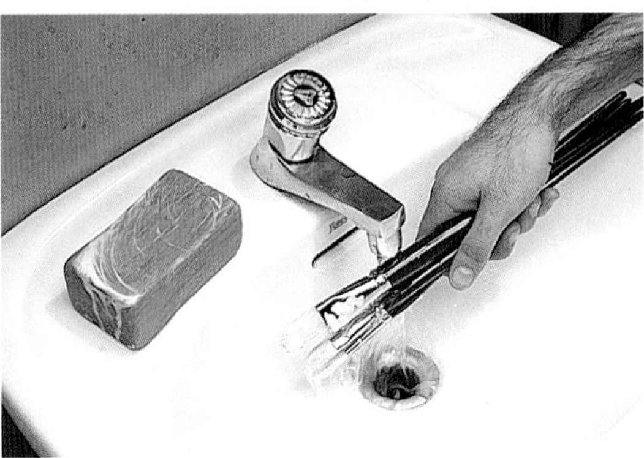

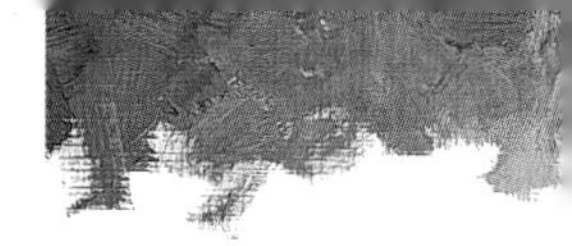

LE LIEU DE TRAVAIL

Le lieu de travail d'un artiste joue un rôle déterminant dans la réussite de son entreprise, la conception et l'élaboration des œuvres étant conditionnées par cet espace qui, dans l'idéal, doit être entièrement consacré à la peinture. Aménager une pièce en atelier n'est pas une tâche facile, car non seulement elle doit remplir certaines conditions (éclairage, rangements pour les fournitures, espace pour les œuvres, etc.), mais encore il doit s'en dégager une ambiance favorable à la création.

Dimensions idéales

Il va de soi que les dimensions de l'atelier dont il dispose conditionnent directement l'envergure qu'un artiste peut donner à ses œuvres.

Il n'est pas nécessaire de disposer d'un espace immense : il suffit de pouvoir prendre un certain recul par rapport à son œuvre et de pouvoir se déplacer avec aisance tant pour se procurer les fournitures nécessaires que pour effectuer toutes les tâches annexes : montage des toiles, préparation des couleurs..., sans être obligé de tout ranger chaque fois. C'est pourquoi la pièce doit mesurer au minimum 3 x 4 m. L'éclairage de l'œuvre doit être uniforme et réparti de façon équilibrée.

L'illustration ci-contre fournit un exemple d'exploitation idéale de l'espace et de la manière dont il peut être aménagé.

Lumière naturelle

Le travail du peintre dans son atelier est en grande partie influencé par la lumière qui éclaire non seulement le sujet mais l'œuvre elle-même.

Quand on réalise un tableau en lumière naturelle, il convient de veiller à ce que l'éclairage ne soit pas direct, de façon à ce qu'il ne forme pas de reflets gênants ou ne fasse ressortir les blancs trop crûment pour permettre de distinguer convenablement la gradation de valeurs des couleurs. En outre, le peintre doit se placer par rapport à la source lumineuse de façon à ne pas projeter d'ombres sur le tableau.

Pissarro dans son atelier.

POUR EN SAVOIR PLUS

• Matériel et fournitures complémentaires **p. 32**
• Divers types de chevalets **p. 34**

L'œuvre doit être éclairée uniformément.

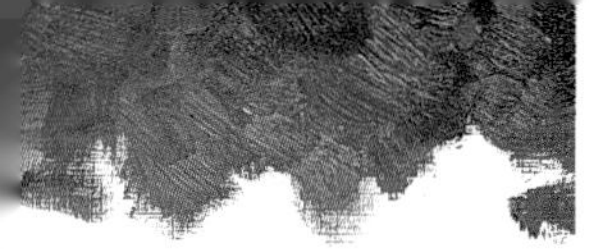

Une lampe à support réglable fixée au chevalet aidera à répartir la lumière uniformément.

Dosage de la lumière

En dosant la lumière naturelle qui éclaire la pièce, on peut obtenir différents résultats selon que l'on cherche à créer une ambiance plus ou moins douce et agir sur les contrastes d'ombres et de lumières.

Un rideau blanc pouvant coulisser sur une tringle est une solution pratique et rapide pour filtrer la lumière à son gré.

Lumière artificielle

Quand on travaille en lumière artificielle, il est bon de disposer d'au moins trois sources lumineuses.

• Une pour éclairer le tableau, de préférence une lampe montée sur un support réglable pouvant être fixé au chevalet; une ampoule de 100 W est plus que suffisante.

• Une autre pour éclairer le sujet; suivant sa distance par rapport au sujet, elle accentuera ou adoucira les contrastes entre ombres et lumières : plus on l'approche du sujet, plus le contraste est fort.

• Enfin, une lampe d'appoint diffusera une lumière d'ambiance adoucissant les contrastes entre les zones sombres et les zones les plus éclairées de la pièce, atténuant aussi la fatigue visuelle que suppose le fait de fixer l'attention sur un seul point éclairé.

L'atelier de Vélasquez

L'atelier de Vélasquez mesurait cinq mètres de haut, cinq de large et dix de long. Il était appelé chambre de travail et, tant par ses dimensions que son aménagement, il n'était pas différent des ateliers de charpentiers, tailleurs ou forgerons.

Il pouvait improviser des mises en scène servant de sujets aux grands tableaux. *Les Fileuses* est une œuvre qui a été exécutée en atelier, comme la plupart des portraits de nains dans lesquels le maître a expérimenté de nouvelles techniques.

Les ombres s'adoucissent et les couleurs s'intensifient : un panneau ou une toile blanche faisant office de réflecteur réduit les contrastes.

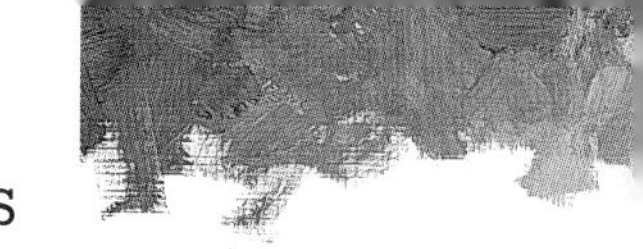

MATÉRIEL ET FOURNITURES COMPLÉMENTAIRES

Couleurs et toiles ne suffisent pas à aménager un atelier de peintre : un mobilier adapté et de nombreux accessoires complémentaires sont également nécessaires et rendent le travail plus facile. Non seulement l'atelier doit être équipé d'une table, d'un chevalet, de sièges et de moyens d'éclairage adéquats, mais il doit, bien entendu, renfermer toutes les fournitures indispensables à la peinture – boîtes, pinceaux, godets, etc.

Sièges

Vous devez être à l'aise pour travailler, afin de pouvoir vous concentrer sur ce que vous faites sans être gêné par d'éventuelles douleurs au niveau des jambes ou du dos. Il vous faut donc trouver le siège qui vous offre la position assise la plus confortable ; un grand tabouret à vis ou une chaise de dactylo conviennent tous deux parfaitement, leur assise étant réglable en hauteur et leur encombrement limité. Ces sièges présentent en outre l'avantage de pouvoir pivoter : vous pouvez ainsi, sans vous lever, avoir accès aux objets qui vous sont utiles.

Il existe de nombreux types de sièges, certains ayant une assise et un dossier rembourrés, plus confortables, mais pouvant poser des problèmes de nettoyage. Vous les trouverez dans les magasins de meubles de bureau ou de fournitures pour dessin et peinture.

Deux types de sièges.

Grand coffret avec palette incorporée.

Table à dessin improvisée.

Boîtes de peinture

La boîte de peinture est un accessoire très utile, non seulement au rangement des tubes de peinture, des pinceaux, des diluants et des godets, mais aussi au transport de la palette et de petits cartons pouvant servir à prendre des croquis hors de l'atelier. Ceux-ci peuvent s'insérer à l'intérieur du couvercle, qui est pourvu de baguettes rainurées pivotantes maintenues par des taquets.

Il existe une vaste gamme de boîtes ou coffrets de toutes tailles, de la petite boîte ne renfermant que les couleurs de base aux grands coffrets compartimentés ressemblant à des mallettes permettant de transporter un plus grand nombre de couleurs et d'accessoires.

Le matériau du coffret, sa contenance et sa finition en déterminent le prix : certains sont en métal avec des compartiments en matière plastique, mais les grands coffrets en bois sont les plus commodes et les plus recommandés pour l'atelier.

La forme des palettes dépend en général de celle des boîtes de peinture.

Différents types de palettes.

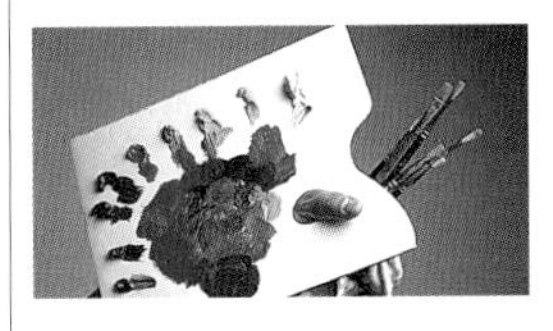

Produits d'entretien

La peinture à l'huile est un médium gras et donc non soluble dans l'eau. Mieux vaut donc la manipuler avec précaution pour limiter les risques de taches. Il est préférable d'éliminer celles-ci quand elles sont fraîches avec de l'essence de térébenthine pure, et ensuite avec de l'eau savonneuse.

Pour conserver des pinceaux en bon état, nettoyez-les régulièrement : pendant la séance de peinture, rincez-les dans l'un des deux godets ajustables à la palette. Quand vous avez terminé, si vous ne disposez pas de beaucoup de temps, mettez-les dans un lave-pinceaux contenant de l'essence de térébenthine, où ils seront maintenus en position verticale sans toucher le fond, de telle sorte que leur touffe ne se déforme pas.

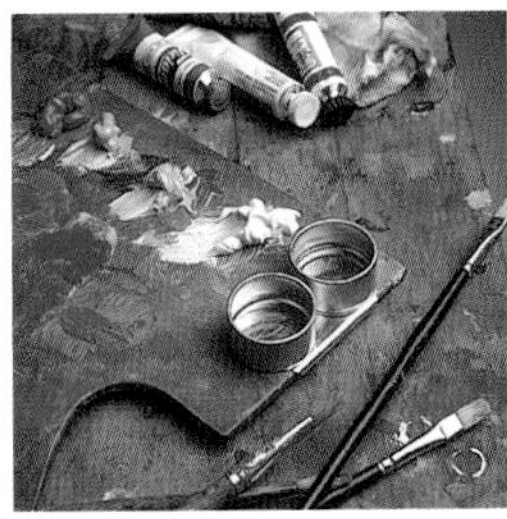

Palette avec godets d'essence de térébenthine et d'huile de lin.

POUR EN SAVOIR PLUS

- Additifs spéciaux : cire, liants et vernis **p. 16**
- Incorporation de matériaux **p. 78**

Fournitures jetables

Dans l'atelier, il est important de disposer d'une série de fournitures pouvant servir à divers travaux et être jetées après usage : petits bâtonnets en bois (pique-olives ou cure-dents), morceaux de toile, vieux chiffons, papier journal... Ayez aussi toujours sous la main quelques récipients pour nettoyer ou stocker vos pinceaux, entre autres.

Les cartons peuvent servir de corbeilles à papier improvisées ; quand ils sont pleins, fermez-les et jetez-les tels quels.

Tenue vestimentaire

Mieux vaut, pour peindre en atelier, porter une tenue appropriée : certains artistes choisissent de porter une blouse, d'autres de vieux vêtements qui ne craignent plus rien.

Palettes

Vous ne pouvez vous passer d'une palette pour peindre, et il en existe divers modèles répondant aux besoins de chaque artiste. La taille de la palette dépend de la gamme de couleurs employée, comme de la quantité de peinture que vous voulez mélanger. La palette peut être de forme ovale ou rectangulaire, la première étant beaucoup plus pratique car vous pouvez l'insérer dans votre boîte de peinture.

On trouve des palettes en matière plastique ou en bois. Si le bois n'est pas déjà verni, recouvrez-le de plusieurs couches de vernis au polyuréthane, en ponçant entre chaque couche pour obtenir une surface bien lisse.

Il existe aussi des palettes vendues en blocs de feuilles détachables, à jeter après utilisation. Ce type de palette n'est intéressant que pour peindre à l'extérieur, car il rend difficile la récupération des surplus de peinture en fin de séance.

L'atelier de Frida Kalho

L'artiste mexicaine Frida Kalho travaille essentiellement dans son lit, depuis qu'elle est devenue invalide à vie à la suite d'un accident ; elle a aménagé sa chambre en atelier, y a fait installer des miroirs et commandé un chevalet spécial pour supporter ses toiles. Cette installation lui permet d'exécuter de superbes et dramatiques autoportraits.

DIVERS TYPES DE CHEVALETS

Depuis des siècles, le chevalet est l'inséparable compagnon de l'artiste. S'il s'est adapté à l'évolution de la technique de la peinture à l'huile, les nouveaux modèles n'ont cependant pas supplanté les plus anciens, contrairement à ce qui se passe souvent dans d'autres domaines. En revanche, les artistes ont l'avantage de disposer aujourd'hui d'une vaste gamme de chevalets répondant chacun à des besoins particuliers.

Des modèles adaptés aux besoins

Il existe un chevalet pour chaque type de tableau et chaque peintre. Les chevalets d'atelier classiques ne sont pas très différents de ceux que pouvait utiliser Léonard de Vinci, mais aujourd'hui on peut choisir entre différents modèles, plus ou moins adaptables, légers et montés ou non sur roulettes.

Ce dont il faut tenir compte avant tout dans le choix d'un chevalet concerne la mobilité de la tablette sur laquelle repose le tableau et la hauteur du liteau sur lequel elle coulisse : en effet, sur certains chevalets, si le tableau est positionné à une hauteur moyenne, le liteau peut toucher le plafond de la pièce si celui-ci n'est pas très élevé.

Il existe un autre type de chevalet mi-léger, idéal à la fois pour travailler en atelier et à l'extérieur. Il est pliable et inclut une boîte de couleurs.

Si vous envisagez d'effectuer de véritables excursions picturales, l'idéal est de posséder un chevalet de campagne, entièrement repliable, entrant dans n'importe quel sac à dos. C'est un accessoire pratique, mais il faut bien s'assurer de sa stabilité avant de s'en servir.

On trouve aussi des chevalets de campagne métalliques, très légers, télescopiques et pliants.

Chevalet de campagne

Le chevalet de campagne repose sur trois pieds télescopiques. Les deux pieds avant incluent des bras articulés qui, une fois dépliés, servent de support horizontal au tableau. Le liteau central, servant de support vertical, est plus ou moins inclinable. Certains chevalets de campagne sont équipés de montants dépliables pourvus d'une pince pour fixer la palette.

Chevalet métallique.

Ce type de chevalet n'est stable que si l'on peut en enfoncer les pieds dans le sol. Il n'est pas destiné à de grands formats, mais est idéal pour des croquis de paysages.

Chevalet d'atelier

Le chevalet d'atelier doit avant tout être stable et choisi en fonction du genre de travail que l'on projette : on peut le préférer mobile ou non, offrant ou non la possibilité d'y assujettir fermement un tableau ou de simplement l'y poser. Il peut être muni de trois pieds ou d'un support fixe, selon l'espace dont on dispose pour travailler : si vous n'avez que peu de place, choisissez de préférence un chevalet pliant ; dans le cas contraire, le chevalet à support fixe ou chevalet à patins, monté ou non sur roulettes, sera plus stable et plus commode. En effet, dans cette gamme de chevalets, on trouve des modèles permettant de

Chevalet d'atelier léger.

Chevalet professionnel.

régler avec beaucoup de souplesse l'inclinaison du tableau, grâce à un système qui permet de désolidariser le plan vertical du liteau de la tablette sur laquelle repose le tableau.

Chevalet de campagne.

Chevalet de table

C'est le plus simple de tous les chevalets : semblable à un lutrin, il suffit de le poser sur la table de travail. De toute évidence, on ne peut l'utiliser que pour des œuvres de taille réduite, et l'artiste travaillant avec ce type de chevalet jouit d'une moins grande mobilité.

Boîte-chevalet.

Chevalet de copie

Xylographie illustrant le *Traité des Proportions.* Sur cette gravure, Dürer (1471-1528) illustre l'emploi d'un autre type de chevalet dont la fonction était de reproduire par transparence le sujet à l'aide d'un cadre pourvu d'un calque qui reposait verticalement sur un support en forme de table.

POUR EN SAVOIR PLUS

- Bref historique. De la détrempe à l'huile **p. 8**
- Le lieu de travail **p. 30**

Boîte-chevalet

Que ce soit pour travailler en atelier sur des œuvres ne nécessitant pas une fixation très solide ou pour peindre à l'extérieur, la boîte-chevalet est d'une grande commodité. Il s'agit d'une boîte équipée de montants dépliables formant trépied et d'une structure inclinable comprenant une tablette et un liteau vertical coulissant, réglable en fonction de la hauteur du tableau. Il existe divers modèles, dont certains pourvus d'un tiroir facilitant l'accès aux couleurs, pinceaux ou autres fournitures nécessaires.

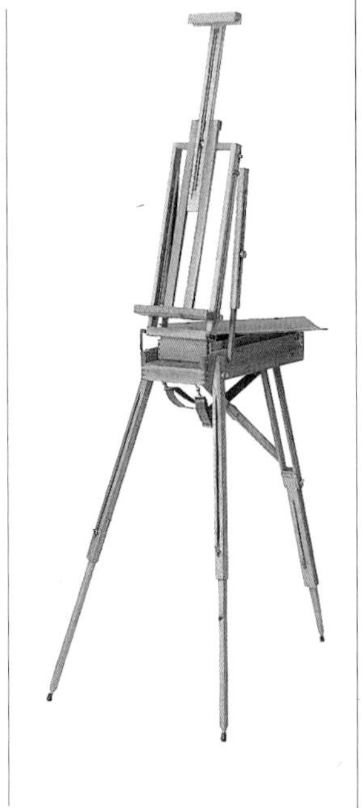

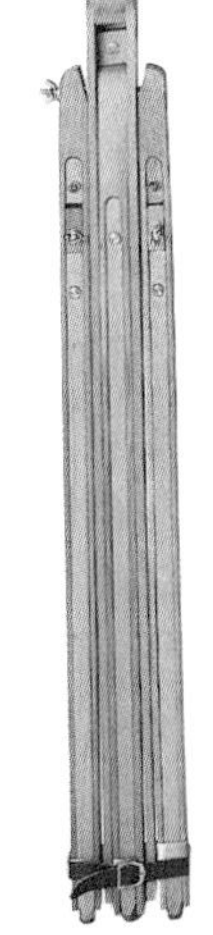

La boîte-chevalet est pratique et légère : entièrement repliable, elle est facile à transporter.

MONTAGE D'UNE TOILE SUR CHÂSSIS

Avant d'apprêter la toile ou de commencer à peindre, il faut tout d'abord la tendre sur un châssis. Le montage d'une toile fait appel à une technique particulière, qui ne diffère pas quel que soit le format du châssis. En dehors des formats répondant aux normes internationales, vous pouvez aussi vous procurer des châssis adaptés à vos besoins, de forme circulaire ou de dimensions plus importantes.

Proportions des trois formats standard de châssis.

PAYSAGE

MARINE

Emboîtement de châssis standard.

Emboîtement d'un châssis espagnol.

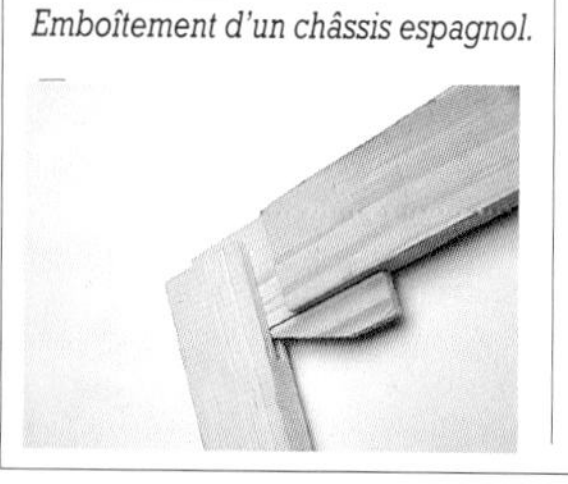

Dimensions de la toile et du châssis

Il existe sur le marché une vaste gamme de châssis de dimensions normalisées, correspondant à trois formats : figure, paysage et marine. Quant à la toile, elle est également vendue dans les magasins de fournitures pour artistes, soit au mètre, soit déjà montée sur châssis. La première solution est toujours plus économique, et vous laisse une plus grande latitude en ce qui concerne le choix de la qualité de la toile, du châssis et des dimensions.

Fournitures nécessaires

Le montage d'une toile sur châssis ne demande pas un matériel très sophistiqué. Déterminez la taille du châssis dont vous avez besoin, puis achetez un morceau de toile d'une taille supérieure : ainsi, pour un châssis de 33 x 29 cm et de 3 cm d'épaisseur, la toile doit mesurer 45 x 41 cm.

Les outils nécessaires sont les suivants : une pince à tendre les toiles, une agrafeuse de tapissier, des agrafes ou des semences de tapissier, un marteau et un couteau de tapissier.

Fournitures nécessaires au montage d'une toile sur châssis : toiles, montants de châssis, marteau, clés et pince à tendre.

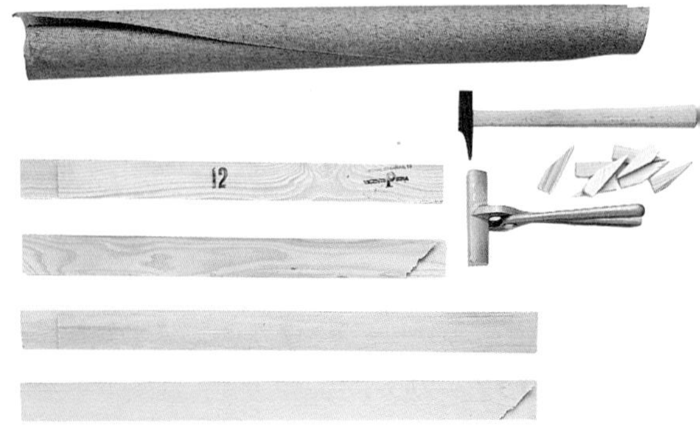

Agrafes ou clous

Pour monter une toile de façon traditionnelle, il vous faut des semences de tapissier – clous à tête large et plate et à tige courte. Cette technique est néanmoins assez lente et laborieuse.

Si vous voulez aller plus vite, utilisez une agrafeuse ; en outre, en choisissant des agrafes en cuivre, vous éviterez le risque d'oxydation qui, avec les semences, se révèle inévitable avec le temps.

Il existe divers modèles d'agrafeuses, mais mieux vaut en choisir un de bonne qualité car les agrafeuses bon marché rendent la tâche fastidieuse.

Finition des angles

Quand vous aurez agrafé la toile sur les quatre côtés du châssis, il ne vous restera plus qu'à finir les angles. Avec la pince à tendre les toiles, et en veillant à ne pas rayer la toile, tendez l'un des côtés de façon à réaliser un bec de toile dans l'un des angles. Formez un pli dans l'axe de l'angle, puis rabattez-le d'un côté ; faites une découpe verticale au niveau de l'angle pour pouvoir rabattre la toile à l'arrière du montant. Puis repliez le bec de toile sur l'un des côtés et agrafez-le. Répétez l'opération sur les trois autres angles.

Pour finir, rabattez l'excédent de toile tout autour du châssis sur la face arrière des montants et agrafez-le.

Tension et fixation de la toile sur les côtés

Pour monter la toile sur le châssis, commencez par poser le châssis à l'envers de la toile, face plane des montants vers le haut, faces biseautées contre la toile. Centrez-le bien.

La tension de la toile se fait toujours du centre vers les bords. Agrafez la toile sur le premier côté en commençant par le milieu. Puis tendez la toile à l'aide de la pince au centre du côté opposé et agrafez-le également. Procédez de la même façon pour les deux autres côtés.

Poursuivez l'agrafage en alternant régulièrement de côté et en vous aidant de la pince. Les dernières agrafes doivent être distantes d'environ 7 cm des angles.

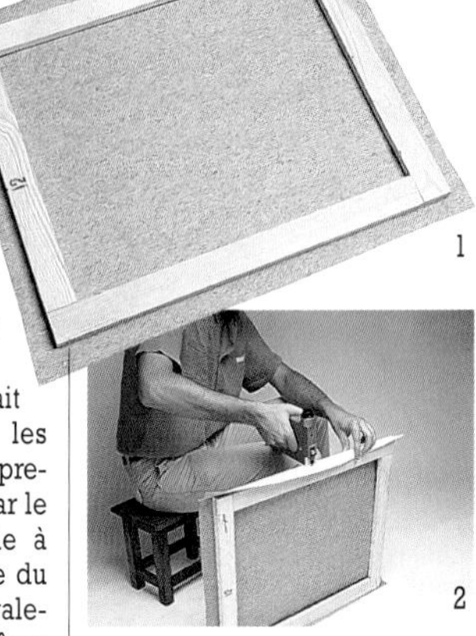

1

2

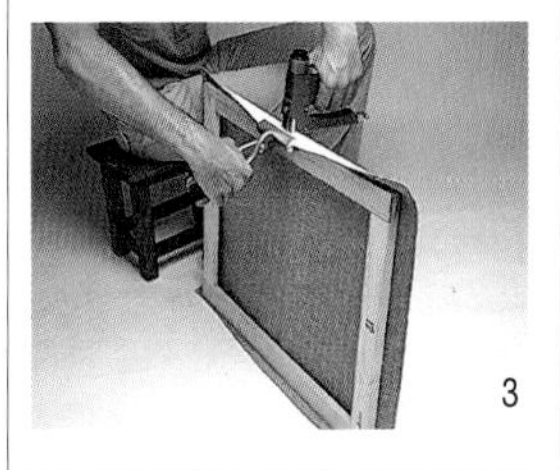

3

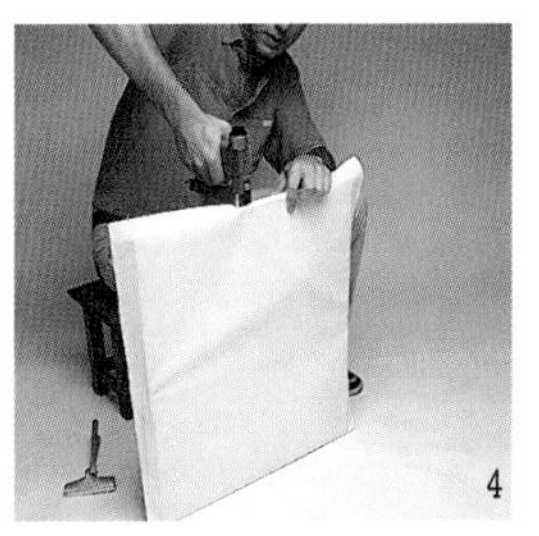

4

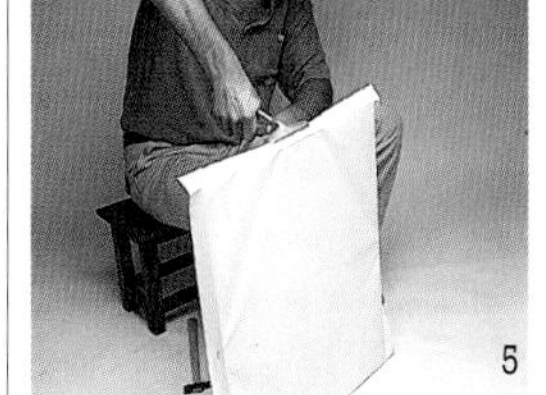

5

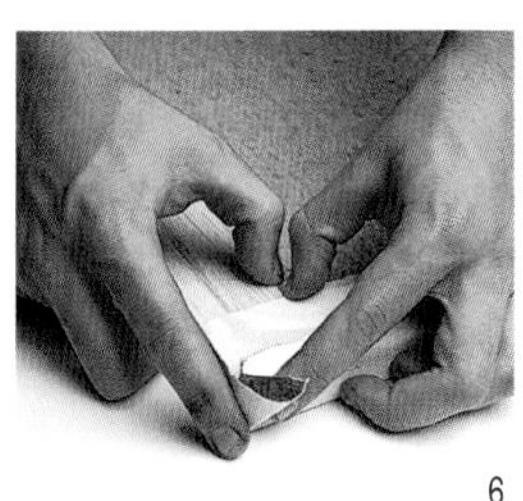

6

7

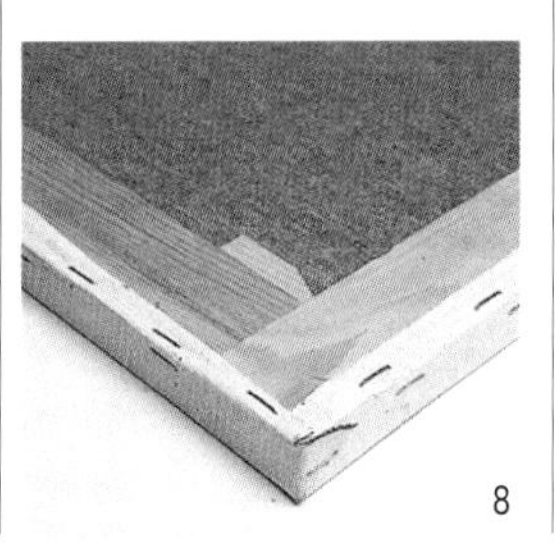

8

Châssis pour tableaux non encadrés

La plupart des œuvres modernes se passent de cadre une fois terminées. Il ne faut pas utiliser en ce cas de châssis trop minces ou trop étroits, qui convenaient à une époque où les tableaux étaient systématiquement encadrés. Les tableaux non encadrés doivent donc avoir une structure solide, avec des angles renforcés par de solides coins de bois permettant de rigidifier l'ensemble.

POUR EN SAVOIR PLUS

• Préparation des divers supports : toile **p. 20**

PINCEAUX

Les pinceaux les plus couramment employés en peinture à l'huile sont les pinceaux en soie de porc : il en existe diverses gammes et qualités pouvant convenir aux besoins de chacun. Le choix d'un pinceau dépend de nombreux critères, car outre sa forme et sa fonction, la qualité de son poil joue aussi un rôle déterminant dans le résultat final. Un pinceau de bonne qualité est en général cher, mais vous pouvez aussi employer des pinceaux économiques, le tout est de le faire à bon escient.

Différents types de pinceaux

Un pinceau est composé d'un manche, d'une virole et d'une touffe de poils. La virole est la partie métallique qui enserre la touffe de poils. Les manches des pinceaux pour la peinture à l'huile sont plus longs : on peut ainsi saisir le pinceau plus haut et peindre bras tendu en ayant une vue plus générale du tableau. La taille de la touffe est déterminée par un numéro imprimé sur le manche. Cette codification paire va du numéro 0 au numéro 24.

Les pinceaux peuvent être en soie de porc, en poil de martre, de mangouste ou encore synthétiques. Selon la forme de leur touffe, ils sont de quatre types :
- Pinceaux à bout rond.
- Pinceaux langue-de-chat.
- Pinceaux à bout carré.
- Pinceaux en éventail.

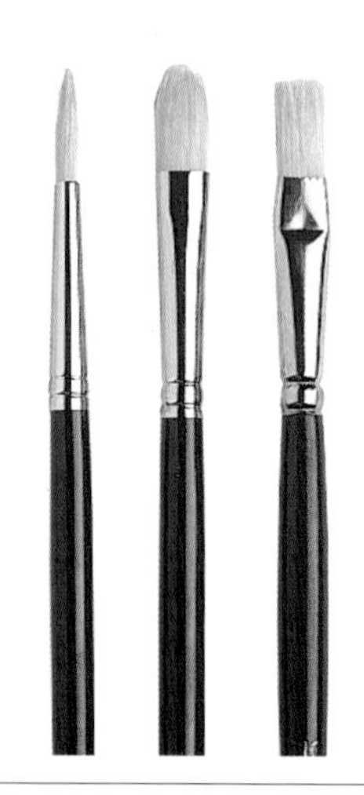

Pinceaux de qualité supérieure

Les pinceaux haut de gamme sont ceux dont les touffes sont en poil de martre ou de mangouste ; ces pinceaux se distinguent par leur souplesse et leur finesse. En général, ce sont des pinceaux coûteux, mais il suffit d'en posséder un ou deux pour réaliser des détails très précis ou poser des aplats de couleur parfaitement uniformes.

Si, d'une façon générale, les pinceaux doivent être entretenus avec beaucoup de soin, ceux qui sont en poil de martre doivent l'être avec une attention extrême, et ceci pour deux raisons : d'une part parce qu'ils coûtent cher, d'autre part parce que les vieux pinceaux bien entretenus donnent de meilleurs résultats que les pinceaux neufs.

Pinceaux synthétiques

Il existe aujourd'hui des pinceaux en poils synthétiques d'une telle qualité qu'il ne faut pas rejeter l'idée d'en faire l'acquisition. Cependant, bien qu'étant d'une excellente durabilité, ils nécessitent autant de soin que des pinceaux en poil de martre et se déforment tout aussi facilement si on les laisse reposer sur la pointe.

Les pinceaux de qualité sont souples et élastiques.

Pinceaux économiques

Dans la vaste gamme des pinceaux disponibles, vous pouvez aussi trouver des pinceaux de qualité scolaire ou économique. Veillez, en utilisant ce type de pinceaux, au fait que leurs poils n'aient pas tendance à s'écarter ou à tomber trop facilement.

Avant la première séance, laissez-les tremper dans de l'eau durant 24 heures pour que le bois se dilate et que les poils restent plus soudés, mais en veillant à ce que leur pointe ne touche pas le fond du récipient. Pour éviter cet inconvénient, attachez-les à l'aide d'un élastique au col du bocal.

Les professionnels utilisent en général l'assortiment de pinceaux suivant :
- Pinceau à bout rond en poil de martre n° 4.
- Pinceau à bout carré en soie de porc n° 4.
- Pinceau à bout rond en poil de mangouste n° 6.
- Deux brosses plates en soie de porc n° 6.
- Un pinceau langue-de-chat en soie de porc n° 6.
- Trois brosses plates en soie de porc n° 8.
- Un pinceau langue-de-chat en soie de porc n° 8.
- Deux pinceaux plats en soie de porc n° 12.
- Un pinceau langue-de-chat en soie de porc n° 14.
- Une brosse plate en soie de porc n° 20.

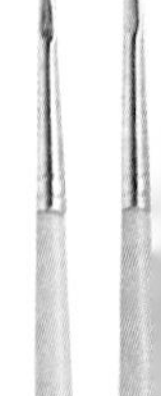

Fabrication de pinceaux de qualité

Dans ces temps modernes de production en série, il est rare que les objets à usage professionnel soient encore fabriqués artisanalement, les machines ayant la plupart du temps remplacé la main de l'homme.
Cependant, c'est comme ceci que sont encore fabriqués ces précieux outils que sont les pinceaux de qualité supérieure ; la sélection du poil et sa fixation dans la virole sont des tâches qui jusqu'à aujourd'hui n'ont pu être réalisées de façon industrielle.

Pinceaux de formes et poils différents.

Pinceaux de qualité intermédiaire

Les pinceaux les plus fréquemment employés par les artistes sont les pinceaux en soie de porc de qualité intermédiaire. En fait, à l'intérieur de cette gamme, on trouve des pinceaux d'une qualité pouvant rivaliser avec celle des pinceaux haut de gamme. Certains ont des poils aussi souples et doux que les pinceaux en poil de martre.

Les pinceaux en soie de porc présentent l'avantage d'offrir un large éventail de tailles.

Les pinceaux de qualité supérieure sont recommandés pour des travaux très fins ou pour estomper les couleurs.

Les pinceaux les plus courants restent ceux en soie de porc, tant pour des motifs économiques que pour leur durabilité. Il existe cependant des pinceaux d'excellente qualité associant poil de martre et soie de porc. En fait, il n'est pas toujours nécessaire d'acheter des pinceaux haut de gamme ; tout dépend du genre de travail que l'on veut exécuter et du résultat que l'on souhaite obtenir.

POUR EN SAVOIR PLUS

- Entretien des pinceaux : nettoyage et rangement **p. 40**
- Emploi des divers types de pinceaux **p. 60**

Assortiment de pinceaux en soie de porc de qualité intermédiaire.

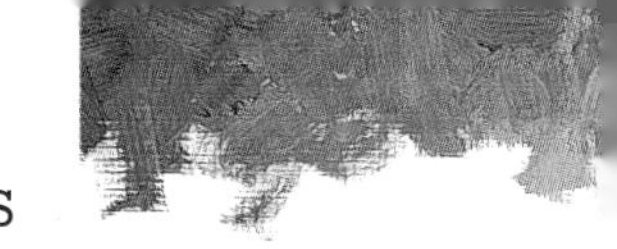

ENTRETIEN DES PINCEAUX : NETTOYAGE ET RANGEMENT

Les pinceaux sont les outils les plus précieux du peintre et doivent, à ce titre, être entretenus avec le plus grand soin. Leur nettoyage est une tâche souvent longue et fastidieuse, mais absolument nécessaire si l'on veut pouvoir disposer à tout moment d'un matériel en parfait état. Les pinceaux mal nettoyés et non correctement rangés s'abîment, se déforment ou se dessèchent, et deviennent finalement inutilisables.

Matériel d'entretien

Pour nettoyer votre matériel de peinture et l'avoir toujours sous la main prêt à l'emploi, prévoyez des fournitures apparemment simples, mais indispensables, comme du papier journal, de vieux chiffons et des bocaux où ranger les pinceaux.

Durant la séance de travail, le nettoyage des pinceaux est assez fréquent, surtout si l'on change souvent de couleur. Dans la plupart des cas, il suffit de les essuyer sur du papier journal pour en extraire les restes de peinture, puis de les tremper dans un récipient contenant de l'essence de térébenthine et enfin de les sécher avec un chiffon.

L'entretien des pinceaux peut également se faire à l'eau et au savon (de pH neutre), dans des récipients peu profonds (assiettes ou plats).

Essence de térébenthine pure

L'essence de térébenthine est un solvant provenant de la distillation de la résine du pin. Elle se présente sous différents conditionnements. Vous pouvez en trouver dans les drogueries ou magasins de bricolage en bouteilles de 1 litre ou en bidons de 5 litres. Mieux vaut acheter cependant de l'*essence de térébenthine rectifiée*. Les fabricants de fournitures pour artistes la commercialisent en général en flacons de 25 ou 50 cl. Vous avez ainsi la garantie qu'il s'agit d'une essence de térébenthine bien distillée. Une essence de térébenthine de mauvaise qualité s'évapore mal et laisse un dépôt gras ; en outre, elle est trop agressive et détériore les poils des pinceaux, jusqu'à faire perdre leurs poils aux pinceaux synthétiques.

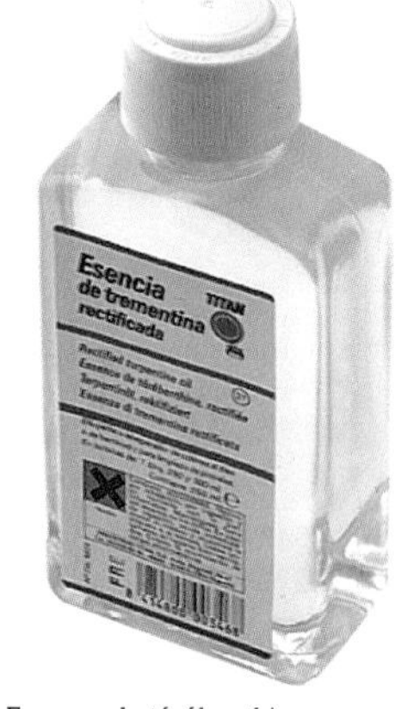

Essence de térébenthine.

Une solution d'attente.

Solution provisoire

Il peut paraître fastidieux de nettoyer ses pinceaux durant l'élaboration d'une œuvre. Quand vous interrompez une séance pour quelques heures, contentez-vous de les essuyer sur du papier journal et de les laisser tremper à plat dans une soucoupe d'eau : ainsi, ils ne se dessécheront pas, et leurs poils ne se diviseront pas ni ne se déformeront. Vous pouvez les laisser ainsi jusqu'à trois jours ; au-delà, il est conseillé de les nettoyer, car un trempage prolongé nuirait au manche comme à la touffe.

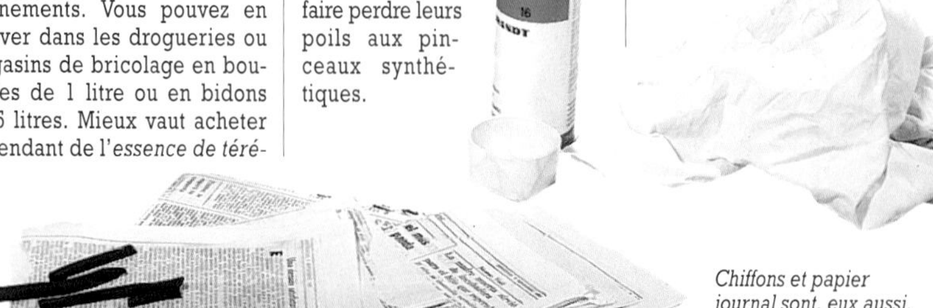

Chiffons et papier journal sont, eux aussi, indispensables à l'entretien des pinceaux.

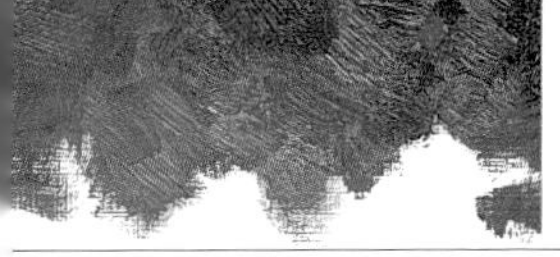

Lave-pinceaux

Le lave-pinceaux est un ustensile très commode que l'on peut trouver dans les magasins de fournitures pour artistes. Il s'agit d'un récipient métallique comportant une séparation perforée faisant office de double fond et équipé d'un ressort permettant de suspendre les pinceaux en position verticale sans qu'ils touchent le fond. Quand le récipient est rempli d'essence de térébenthine pure, la peinture à l'huile se trouvant dans les poils des pinceaux se dissout peu à peu. Comme elle est plus lourde que l'essence, elle traverse le filtre pour venir s'accumuler au fond du récipient. Ainsi, le bain d'essence de térébenthine reste relativement propre et peut être réutilisé. Si vous devez travailler de façon continue, n'hésitez pas à faire l'acquisition d'un tel accessoire ; mieux vaut utiliser ce système que de laisser tremper les pinceaux dans l'eau : d'une part parce que le pinceau est alors immergé dans un médium compatible avec la peinture à l'huile, l'essence de térébenthine, d'autre part parce que la peinture est ainsi entièrement dissoute et le pinceau propre et prêt à resservir.

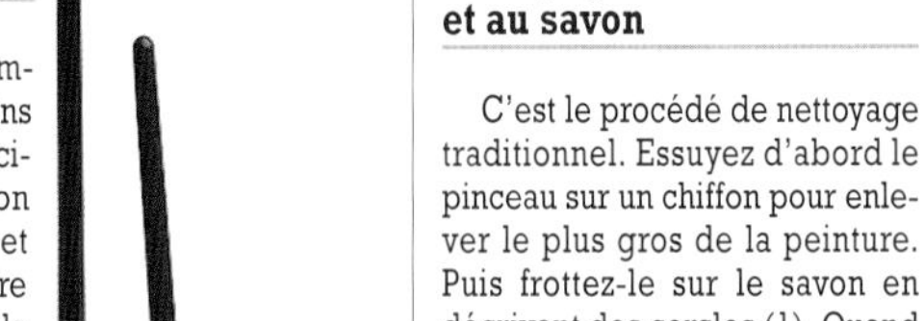

Bac de nettoyage.

Nettoyage à l'eau et au savon

C'est le procédé de nettoyage traditionnel. Essuyez d'abord le pinceau sur un chiffon pour enlever le plus gros de la peinture. Puis frottez-le sur le savon en décrivant des cercles (1). Quand vous aurez éliminé la majeure partie de la couleur, passez le pinceau sous l'eau puis frottez-le sur la paume de votre main, jusqu'à ce que la mousse devienne blanche (2). Pour terminer, rincez-le bien sous l'eau pour éliminer entièrement le savon. Lissez les poils entre vos doigts de façon à reformer la pointe de la touffe (3). Laissez-le sécher dans un bocal, la touffe vers le haut.

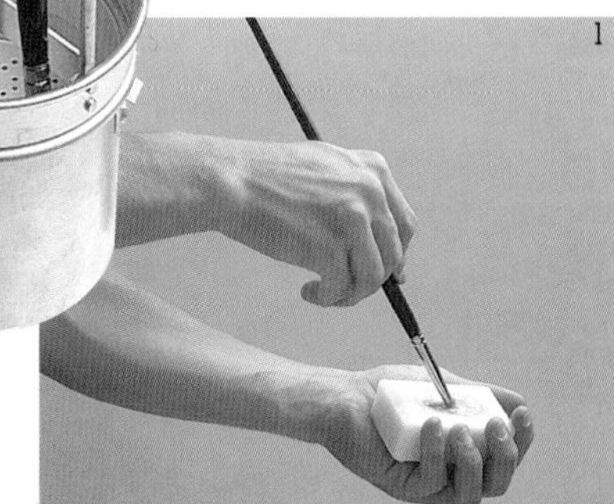

1. Frottez le pinceau sur le savon.

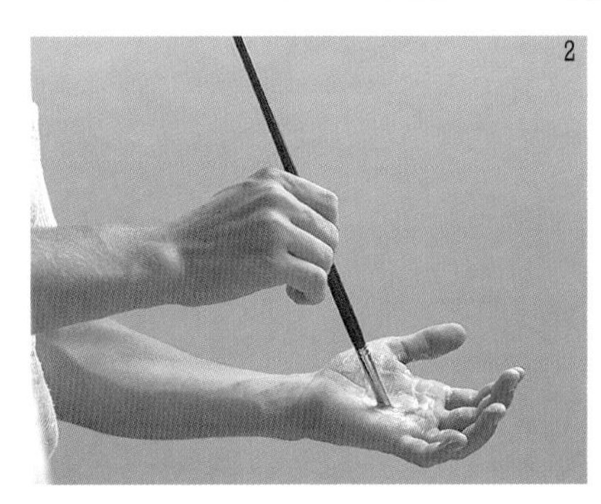

2. Puis au creux de votre main.

3. Reformez soigneusement la touffe.

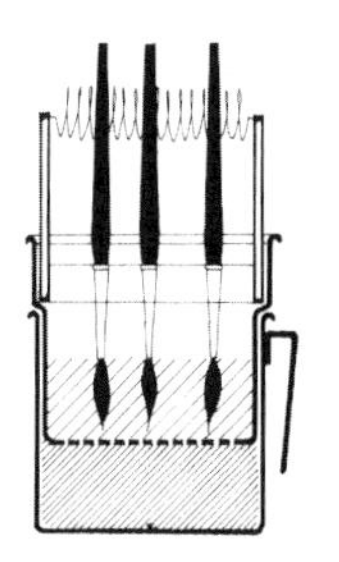

Lave-pinceaux improvisé

Vous pouvez fabriquer un lave-pinceaux à l'aide d'une boîte de conserve vide. Sur le bord supérieur de la boîte, faites deux paires d'encoches, l'une en face de l'autre, dans lesquelles vous fixerez un élastique large, bien tendu, ou une spirale de cahier. Perforez le fond de la boîte et insérez-la dans un récipient de taille légèrement supérieure.

POUR EN SAVOIR PLUS

- Composition de la peinture à l'huile **p. 10**
- Préparation des couleurs **p. 12**

COUTEAUX

La peinture à l'huile peut se travailler au pinceau ou au couteau. Si l'emploi du pinceau semble en général évident même au débutant, celui du couteau l'est moins. Il est nécessaire de se familiariser avec cet instrument pour en tirer le meilleur parti. Le couteau est un outil polyvalent dans le domaine pictural : il présente un large éventail de formes qui répondent à des fonctions bien déterminées.

À quoi sert un couteau ?

Un couteau à peindre remplit de multiples fonctions : il peut servir à gratter la peinture encore tendre à même le tableau pour rectifier une erreur, mais aussi pour travailler la peinture avec plus de relief, en la prenant sur la palette et en la déposant sur le support soit avec la pointe, soit avec le fil, soit encore avec le plat du couteau, ou encore pour nettoyer la palette : il est alors très commode pour racler la peinture.

Chaque couteau est destiné à un usage précis.

Entretien des couteaux

L'entretien des couteaux n'est pas une tâche difficile : il suffit de les débarrasser des surplus de peinture en les essuyant à l'aide d'un papier journal légèrement imbibé d'essence de térébenthine jusqu'à ce qu'ils soient propres. Pour des interruptions de courte durée, imbibez le couteau d'huile de lin et enveloppez-le dans du papier journal.

Mélange des couleurs

Dans la peinture au couteau, on n'emploie jamais de diluants ; les mélanges se font à partir des couleurs en pâte épaisse, telle qu'elle sort du tube. Le couteau s'utilise tout aussi bien pour prendre la peinture que pour la malaxer. En général, on emploie deux ou trois couteaux, chacun ayant une destination particulière.

1 et 2. Pour prendre la peinture sur la palette, coupez et séparez la quantité de peinture dont vous avez besoin en tenant le couteau incliné.

3. Puis déposez-la à un autre endroit de la palette en l'aplatissant et en l'étalant.

4. Pour faire un mélange, prenez l'autre couleur en procédant de la même manière et déposez-la sur la première couleur.

5 et 6. Malaxez bien les deux couleurs jusqu'à l'obtention de la teinte souhaitée.

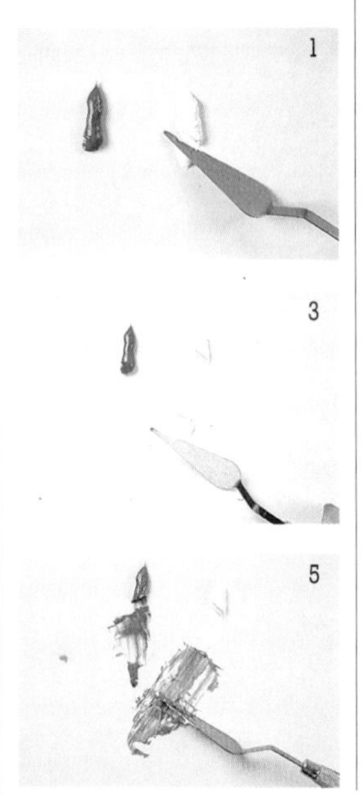

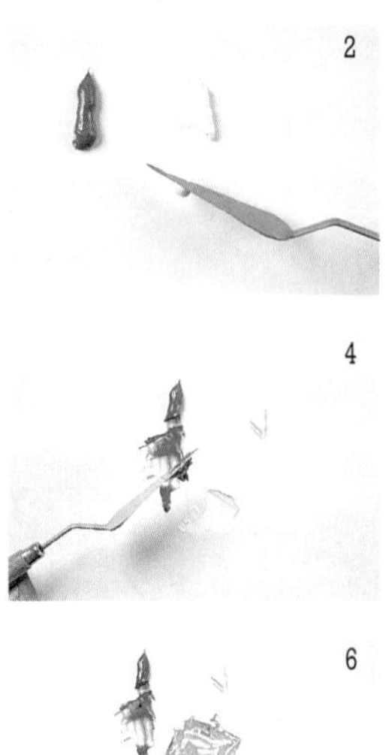

Mélange de couleurs au couteau.

Peinture au couteau

Après avoir effectué votre mélange de couleurs sur la palette, prélevez avec la tranche du couteau la quantité de peinture nécessaire. Pour appliquer la peinture sur le tableau, pressez-la simplement contre la toile, en coupant, recoupant, modelant la pâte pour dessiner des formes, essentiellement rectilignes.

Vous pouvez aussi appliquer des couleurs sur d'autres, en les mélangeant directement sur la toile, avec la possibilité de créer des effets marbrés, des dégradés et une multitude de textures différentes, au relief plus ou moins prononcé.

Peinture au couteau sur peinture au pinceau

Le couteau peut s'utiliser de deux manières : la première consiste à travailler sur une couche de peinture préalablement déposée au pinceau. Lors de cette première étape, la peinture doit être très fluide, très diluée à l'essence de térébenthine : vous devez imprégner la toile, et non la recouvrir d'une couche épaisse de peinture. Sur cette première couche fine, vous pouvez alors appliquer les couleurs au couteau, en les mélangeant soit sur la palette soit directement sur la toile.

Il est préférable de traiter dans un premier temps les plages de couleurs les plus étendues, et de réserver les parties plus délicates et la finition aux séances ultérieures.

Peinture directe au couteau

Vous pouvez peindre directement au couteau sur la toile blanche, bien que cette pratique s'avère plus complexe. En effet, vous ne disposez pas dans ce cas de couleurs de fond qui pourraient vous aider à venir à bout des parties auxquelles il est plus difficile d'accéder avec un couteau.

Commencez par peindre les parties les plus étendues, en faisant en sorte de ne plus avoir à y revenir postérieurement.

1

2

Application des couleurs avec le couteau.

3

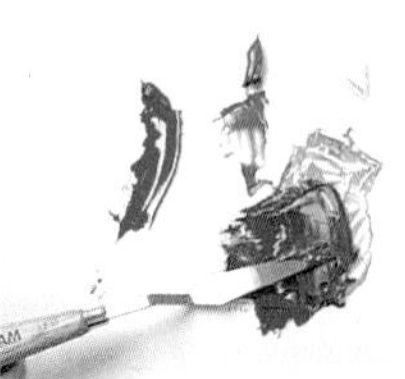
4

Les parties plus restreintes, ainsi que les détails doivent faire l'objet d'un travail plus fragmentaire : élaborez-les peu à peu en posant successivement des couches fines de peinture. Employez alors de préférence, dans ce cas, des couleurs déjà mélangées sur la palette.

Retouches au pinceau

Le travail au couteau peut se révéler très gratifiant quand on sait déjà bien manier le pinceau. Le couteau offre une multitude d'effets plastiques très intéressants ; cette technique admet entièrement les retouches effectuées avec d'autres instruments, comme le pinceau – ou l'extrémité de son manche.

Origines du couteau

L'emploi du couteau à peindre semble remonter au milieu du XIXe siècle. Un instrument qui s'apparente à la spatule en bronze employée par les peintres dans le procédé de l'encaustique (couleurs délayées dans de la cire fondue).

Quoi qu'il en soit, il est recommandé, quand il s'agit de retoucher la surface lisse d'un travail exécuté au couteau, d'employer, pour ne pas l'endommager, des pinceaux en poil de martre, qui se distinguent par la douceur de leur touche.

Couteaux à pointe effilée

Les couteaux ayant l'aspect de truelles présentent diverses formes et peuvent être plus ou moins flexibles. Ils sont idéaux pour tracer, peindre, rectifier ou gratter. Les couteaux les plus rigides sont essentiellement conçus pour racler la peinture, et notamment nettoyer la palette.

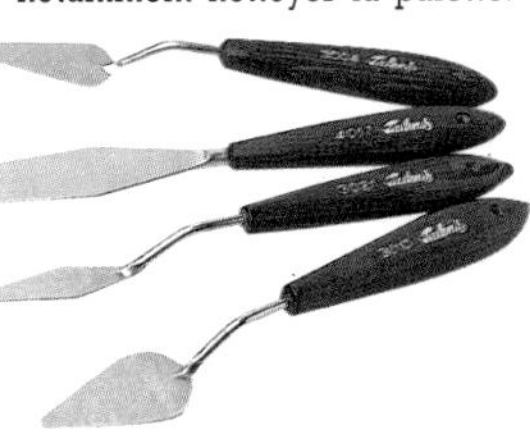

Divers types de couteaux

Les couteaux sont pourvus de lames flexibles, en général en acier, et présentent diverses formes correspondant à des emplois spécifiques.

Couteaux à bout rond

Semblables à des couteaux à beurre, ils sont parfaits pour étendre la peinture sur de grandes surfaces et créer des effets jaspés.

POUR EN SAVOIR PLUS

- Emploi du couteau **p. 56**
- Peinture associant couteau et pinceau **p. 58**
- Effets de texture **p. 74**
- Additifs de texture **p. 76**

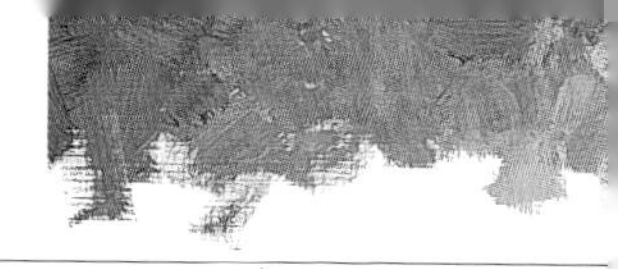

GRANDS THÈMES : PORTRAIT, NATURE MORTE, PAYSAGE

Les œuvres des peintres de la Renaissance, notamment les scènes d'intérieur et les scènes de mœurs brossées avec tant de minutie par les artistes flamands, renfermaient déjà les trois grands thèmes qui ont façonné l'histoire de la peinture à l'huile de Van Eyck à nos jours : le portrait, la nature morte et le paysage.

Paysage dans lequel l'effet de profondeur joue un rôle essentiel.

Contrastes et reflets tiennent une place importante dans cette nature morte.

Adaptabilité de l'huile aux différents thèmes

La technique de la peinture à l'huile se prête à n'importe quel style : du travail fin et méticuleux, riche en détails et d'une fidélité proche de la photographie, aux œuvres les plus expressionnistes, laissant la première place au geste et à la matière.

Elle peut être considérée comme le procédé pictural offrant la plus grande souplesse d'adaptation. Son élasticité, son brillant, sa transparence ou son opacité (selon les besoins) en font le médium le plus riche en possibilités d'expressions plastiques et thématiques.

Le portrait requiert une maîtrise du rendu des carnations, des textures et du clair-obscur.

Thème et composition

Contrairement aux autres techniques picturales, la peinture à l'huile autorise des rectifications à n'importe quel stade d'élaboration d'une œuvre. En peinture figurative, le choix d'un thème implique une méthode de travail spécifique, notamment quand il s'agit de déterminer la composition du sujet.

Créer un tableau consiste à répartir harmonieusement les différents éléments qui composent le sujet dans l'espace qui lui est imparti. Ainsi, à l'intérieur d'un thème particulier, vous pouvez adopter des schémas de composition déterminés.

Pour traiter l'un ou l'autre des principaux thèmes, chaque artiste peut choisir un mode de travail particulier en adaptant les multiples possibilités techniques de l'huile à son propre style.

Trois exemples de composition différents. Les deux premières sont incorrectes : la première est trop ramassée, monotone ; celle du centre est trop dispersée. En bas, l'arrangement des éléments est correct, la répartition des formes et des couleurs créant un équilibre visuel et une variété au sein de l'unité.

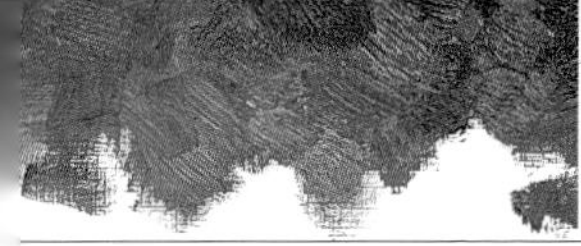

Joris Van Soon, Nature morte.

Nature morte

Le thème de la nature morte offre la possibilité d'approfondir ses connaissances sur le plan de la composition et des effets de lumière. N'importe quel lieu convient à la réalisation d'une nature morte; n'importe quel objet se trouvant dans votre environnement peut entrer dans la composition du sujet. Contentez-vous d'assembler divers objets sur une table, pas nécessairement des fruits, mais éventuellement des crayons, des livres, des boîtes, des chaussures... En fait, tout ce qui peut se trouver à portée de votre main. Jouez sur la lumière et la composition pour construire le sujet que vous allez peindre.

Première nature morte

Jusqu'en 1596, la nature morte ne fut pas considérée comme un thème distinct. Elle accompagnait simplement les scènes religieuses ou mythologiques. Ce fut Michelangelo Merisi, dit Caravaggio (en français Le Caravage) d'après le nom de son village natal, qui cette année-là peignit pour la première fois une corbeille seule garnie de fruits. Cette date marqua un véritable tournant dans la manière d'aborder la nature morte : depuis lors, elle ne fut plus seulement employée pour agrémenter d'autres thèmes picturaux, mais reconnue comme un genre à part entière, souvent pratiquée dans le but de réaliser des études de lumière ou de composition, quand ce n'était pas pour le simple plaisir de peindre.

Éléments empruntés à la nature

La nature morte est par définition composée d'éléments inertes. Mais ces éléments ne sont pas nécessairement de simples objets de la vie courante; il peut s'agir aussi d'êtres inanimés : animaux morts, coupes de fruits, rameaux ou bouquets de fleurs coupées. La représentation de ces éléments empruntés à la nature est, à ce titre, considérée par certains comme un sous-genre de la nature morte.

Portrait

Parmi les grands genres picturaux, le portrait a de tout temps occupé une place importante : il a en effet servi de base au développement des principaux progrès techniques de la peinture à l'huile jusqu'à l'époque contemporaine.

Depuis les peintres flamands jusqu'à nos jours, le portrait a toujours été l'un des thèmes favoris des artistes. La technique de la peinture à l'huile a suivi avec souplesse l'évolution constante des différents styles, permettant de réaliser des glacis, empâtements, gradations brusques ou progressives... offrant à l'artiste de multiples possibilités sur le plan de la créativité.

La peinture à l'huile se présente depuis l'origine comme l'une des techniques les plus appropriées pour l'élaboration de portraits, étant donné qu'elle autorise, à n'importe quel stade, retouches et corrections.

Hans Hemling, Bouquet de fleurs.

Autoportrait

La peinture à l'huile permet de traduire une multitude de nuances, d'obtenir de superbes fondus de couleurs ou de surprenants effets de texture. L'autoportrait est un excellent moyen d'expérimenter ces possibilités.

Vincent Van Gogh, Le Facteur Roulin.

Paysage

L'exécution d'un paysage à la peinture à l'huile permet de mettre en pratique la multitude de procédés picturaux qu'offre ce médium. Vous pouvez, par exemple, ébaucher le paysage à l'aide de grands aplats de couleurs, qui vont définir les formes au fur et à mesure de l'élaboration de l'œuvre.

Camille Pissarro.

Paul Cézanne.

POUR EN SAVOIR PLUS

- Relation entre fond et sujet **p. 70**
- Réalisation des fonds **p. 72**
- Couleurs et nuances de la peau **p. 80**

TECHNIQUE : ESQUISSE, CROQUIS RAPIDE

Un des principaux avantages de la peinture à l'huile est précisément la possibilité qu'elle offre de travailler avec rapidité et spontanéité. Bien des grandes œuvres sont peintes avec des touches d'une grande liberté, mais aussi d'une grande maîtrise, tels les tableaux de Rembrandt, Goya ou Van Gogh. La peinture rapide est applicable à tous les genres et thèmes, mais sa maîtrise requiert de la pratique.

Préparatifs

Le croquis rapide à la peinture à l'huile ne nécessite pas un nombre important de fournitures : les esquisses, comme les croquis rapides, sont des exercices réalisés promptement, sans élaboration excessive. Il s'agit de prises de notes – de couleurs ou de composition – pouvant être utilisées postérieurement pour des travaux plus complets. Les fournitures nécessaires pour l'exécution de ces esquisses se limitent donc à quelques feuilles de papier fort, ainsi que du carton ou une planchette de petit format comme support et un assortiment de couleurs de base. Sans compter, bien entendu, les accessoires de nettoyage habituels : papier journal, chiffons, essence de térébenthine…

Esquisse préliminaire

Une esquisse doit avant tout être concise, tant au niveau des formes que des couleurs. La schématisation des formes peut se faire à la sanguine, au fusain ou à la peinture à l'huile fortement diluée à la térébenthine. Mieux vaut apporter le soin nécessaire au dessin dont la netteté et la simplicité vous permettront de résoudre d'emblée certains problèmes et d'éviter d'être confronté ensuite à des complications au niveau de la définition des formes.

Vous pouvez aussi entendre cette ébauche comme une esquisse dessinée au pinceau, c'est-à-dire en construisant à partir de touches libres ce que seront les formes définitives du tableau. Il faut en ce cas faire abstraction des détails superflus et évaluer correctement les volumes au travers de grands aplats généraux.

Petits travaux

Les esquisses, comme les croquis, sont des travaux de format réduit et, suivant le type de travail projeté, sont exécutées à l'aide de couleurs à l'huile plus ou moins diluées. Quand un artiste a choisi un sujet, il ne doit pas se contenter d'en exécuter au départ un seul croquis, mais essayer de tirer le maximum de profit de sa séance de travail et d'être productif : chaque thème doit faire l'objet de plusieurs croquis qui permettent d'en saisir les aspects retenus comme essentiels. Ce qui explique qu'un croquis rapide ne présente pas l'aspect d'une œuvre achevée et soit de dimensions restreintes.

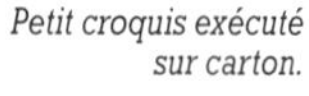

Petit croquis exécuté sur carton.

L'esquisse rapide n'exige pas une palette très large : trois couleurs et du blanc permettent d'obtenir toutes les autres.

La peinture alla prima *suppose un effort de synthèse pour saisir l'essentiel des formes et des couleurs.*

Peinture *alla prima*

Cette technique de peinture directe ne doit pas être confondue avec l'exécution d'une esquisse. La technique *alla prima* est, comme son nom l'indique, une technique rapide, qui requiert une grande capacité de synthèse. Il s'agit de capter, comme si l'on utilisait un appareil photographique, la synthèse des formes et des couleurs du sujet.

Il faut étendre les premiers aplats de couleur sur la toile dans l'idée de cette image initiale, regarder à nouveau le sujet pour concrétiser un peu plus la première impression. Et si jamais le sujet a bougé ou changé de position entre-temps, il faut faire appel à sa mémoire et terminer le tableau en faisant preuve d'imagination.

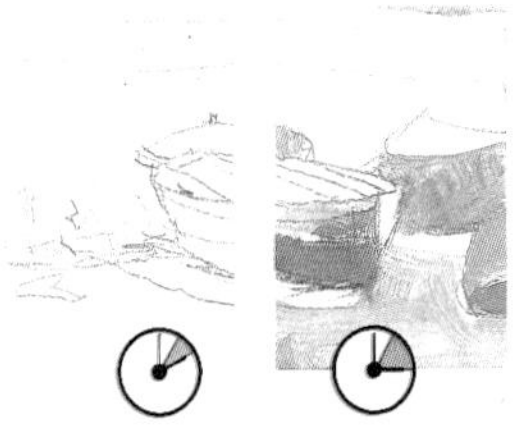

Une œuvre peinte alla prima, *exécutée en l'espace de quatre heures.*

Goya et la peinture directe

Goya a immortalisé une multitude de scènes de mœurs de son époque en ayant recours à des techniques de peinture directe. Dans ces œuvres qui ont beaucoup de caractère, le maître du mouvement a saisi les scènes sur le vif comme il aurait pu le faire avec un appareil photographique. Sa parfaite maîtrise du dessin et de la peinture rapide fut, dans ce domaine, un de ses principaux atouts.

Goya, Les Deux Bûcherons *(détail).*

Technique de la peinture directe

La technique de la peinture directe consiste à exécuter une œuvre en une seule séance et se caractérise par la spontanéité de la touche, de même que par la fraîcheur de l'ensemble.

Le travail commence par une esquisse claire et rapide du sujet que l'on va représenter. Cette ébauche ne doit pas être rigide, mais doit comporter une assez grande flexibilité pour se prêter à des changements ultérieurs. Quand vous aurez ébauché le sujet, étendez des grands aplats d'une seule teinte sur l'ensemble du tableau. Une pose assurée des couleurs permet de dessiner le sujet en déterminant les clairs, les ombres et en concrétisant les formes. Pour achever l'œuvre, il suffit de nuancer et d'ordonner les aplats de couleur et les volumes, mais sans entrer dans le détail.

Peinture et geste

Dans la peinture directe, le geste est ample, les touches audacieuses. Les formes sont perçues dès le départ comme des masses de couleurs, bien qu'elles puissent être mieux définies dans les dernières étapes de l'élaboration du tableau, mais sans être néanmoins détaillées.

Cette économie de moyens oblige l'artiste à faire usage du geste pour moduler les volumes.

Touches rapides et couvrantes.

Le geste en peinture à l'huile dévoile dans bien des cas le caractère de l'artiste ; il faut dessiner au pinceau en synthétisant les formes au maximum.

Le geste est révélé par les traits laissés par le pinceau : cette trace est plus ou moins évidente selon l'emploi que l'on fait du pinceau et le modelé des formes.

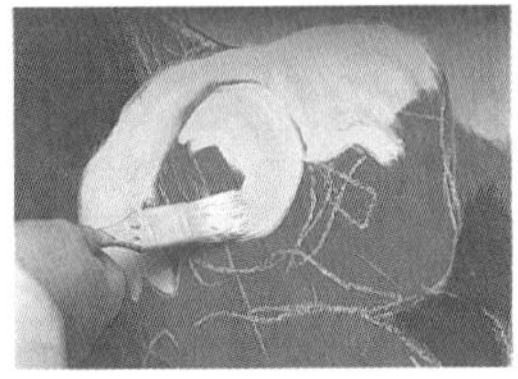

La touche modèle la forme.

POUR EN SAVOIR PLUS

- Ébauche d'une œuvre **p. 52**
- Techniques mixtes et règle du gras sur maigre **p. 54**
- Emploi des divers types de pinceaux **p. 60**
- Peinture *alla prima* **p. 64**

MÉLANGE DE COULEURS

La technique de la peinture à l'huile permet d'obtenir une vaste gamme tonale; les dégradés de couleurs peuvent être si étendus et si variés que l'on peut affirmer qu'il s'agit de la technique picturale offrant le plus de ressources, tant sur le plan des possibilités plastiques que chromatiques. Pour exploiter au mieux ces ressources, il faut avoir acquis un certain nombre de notions – de la bonne répartition des couleurs sur la palette jusqu'à la connaissance des interrelations entre les couleurs.

Théorie des couleurs

La couleur est issue de la lumière. Au cours de ses expériences, en faisant passer un rayon de lumière au travers d'un prisme de cristal, Newton a pu décomposer la lumière blanche et obtenir toutes les couleurs du spectre : bleu foncé, bleu clair, vert, jaune, rouge et pourpre. Ultérieurement, Young a découvert que les six couleurs du spectre pouvaient être réduites à trois couleurs de base, appelées couleurs primaires : le rouge, le vert et le bleu foncé. En superposant les lumières de trois lanternes deux à deux, on obtient les couleurs secondaires du spectre : une lumière rouge et une lumière verte donnent une lumière jaune, rouge et bleu foncé, du pourpre, et en superposant le bleu foncé et le vert, on obtient du bleu clair.

Cependant, la couleur-pigment se comporte d'une façon différente par rapport à ces couleurs issues de la lumière. En effet, elle reçoit la lumière et absorbe les couleurs du spectre qui ne sont pas les siennes, ce qui fait que l'œil ne perçoit qu'une partie du spectre de la lumière réfléchie. Ainsi, les couleurs-pigments de base sont le magenta, le cyan et le jaune, les secondaires étant le produit du mélange des premières.

Mélange de couleurs-lumière.

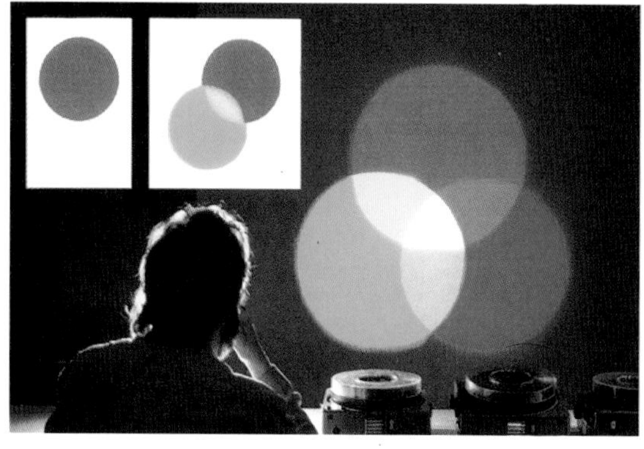

Répartition des couleurs sur la palette

La peinture doit être disposée sur la palette suivant une logique déterminée; l'ordre des couleurs dépend de la gamme chromatique choisie par l'artiste, mais la palette présentée ci-contre permet d'obtenir une gamme complète et riche de couleurs. Toutes les tonalités d'une même couleur doivent être disposées par ordre décroissant de ton et de luminosité.

Il n'existe pas de norme pour l'utilisation de la palette, étant donné que chaque artiste choisit ce qui lui convient le mieux; cependant, à titre indicatif, il faut suivre un ordre cohérent au moment de situer la couleur, car cela facilite la recherche des différentes gammes.

Les couleurs absorbent et réfléchissent différemment la lumière.

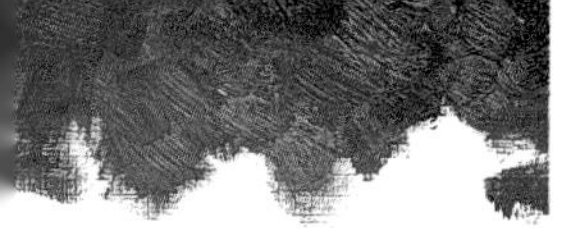

Mélange des couleurs sur la palette

Pour mélanger les couleurs sur la palette, il faut tenir compte de la façon dont se forment les couleurs : quelles sont les couleurs primaires (P), savoir que les secondaires (S) s'obtiennent à partir du mélange de deux primaires et les couleurs tertiaires (T) à partir du mélange des couleurs secondaires.

Dès lors, on peut commencer à exploiter les possibilités des différentes gammes ou les tendances d'une couleur déterminée.

La recherche d'une couleur s'effectue sur la palette en prenant une petite quantité de peinture à l'huile au pinceau et en l'ajoutant à une autre couleur ; pour approcher du ton définitif, on ajoute alors une plus grande quantité de l'une ou l'autre des deux couleurs.

Couleurs de la palette

La sélection des couleurs devant composer la palette, de même que le choix de leur mélange sont une affaire de goût personnel. En général, une tendance particulière se définit peu à peu tout au long de la carrière d'un peintre. Quoi qu'il en soit, le processus d'obtention d'une couleur déterminée ne varie pas beaucoup d'un artiste à l'autre.

Il est difficile d'établir en théorie les proportions exactes des couleurs à mélanger pour composer une couleur particulière. On peut seulement en indiquer les rapports de façon approximative.

POUR EN SAVOIR PLUS

- Composer sa palette **p. 50**
- Ébauche d'une œuvre **p. 52**
- Emploi du couteau **p. 56**
- Peinture *alla prima* **p. 64**

Mélange de couleurs-pigments.

Comment mélanger les couleurs sur la toile.

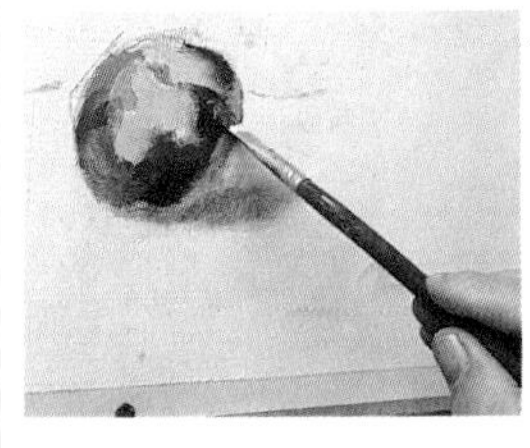

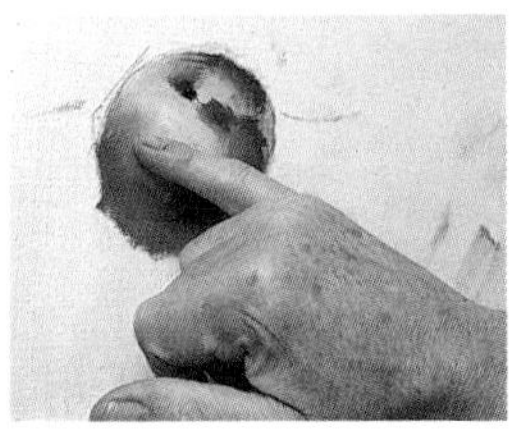

Mélange des couleurs sur la toile

Il existe autant de styles de peinture que d'artistes : certains apprécient l'application de la couleur telle quelle, sans la diluer, ou les mélanges directement sur la toile. D'autres préfèrent effectuer un premier mélange sur la palette et apporter à la couleur sa nuance définitive sur la toile, en la mélangeant aux couleurs déjà posées. En ce cas, il faut posséder une bonne connaissance de la théorie des couleurs, car certaines couleurs ont tendance à en souiller d'autres, à les obscurcir ou à les opacifier.

Vous devez utiliser à bon escient les couleurs qui sèchent plus rapidement, en respectant toujours le principe du gras sur maigre : si vous posez une couleur à séchage lent sous une couleur à séchage rapide, la couche picturale se craquellera.

Mélange de peintures de qualités diverses

Une palette est quelque chose de vraiment personnel, au point qu'en observant une palette, il est possible de savoir quel peintre l'utilise. Certaines couleurs sont extrêmement difficiles à obtenir quand on cherche à copier un tableau, car un magenta peut être différent d'une marque à l'autre. Les bons artistes se livrent constamment à des expériences dans le domaine de la couleur, sans se limiter à une marque particulière : ainsi, dans le coffret d'un bon professionnel, on trouve à la fois des tubes de peinture de qualité supérieure, pour les couleurs les plus délicates, et des couleurs de qualité inférieure, y compris scolaire. Le mélange des unes et des autres donne une touche personnelle à l'œuvre.

Mélange de couleurs au couteau

Les mélanges de couleurs sur la palette peuvent être exécutés indifféremment au pinceau ou au couteau. L'emploi du couteau permet une charge supérieure de couleur et en réduit le gaspillage.

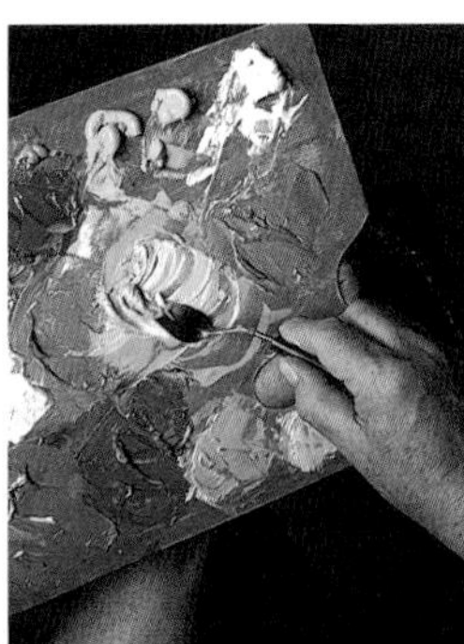

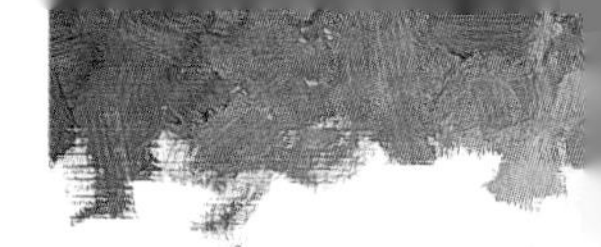

COMPOSER SA PALETTE

Au moment d'élaborer une œuvre, un artiste opte toujours pour une gamme déterminée de couleurs en fonction de l'atmosphère qu'il veut rendre ou de la lumière qui enveloppe le sujet choisi. Le choix d'un chromatisme particulier s'effectue avant l'exécution du tableau : le peintre sélectionne certaines couleurs et les dépose sur la palette en sachant que seules ces couleurs-là figureront dans l'œuvre, qu'elles appartiennent à la gamme des couleurs froides, chaudes ou rabattues.

Différents types de palettes

Une palette peut être composée en fonction d'une gamme chromatique particulière, de tendance froide ou chaude. La plupart du temps, il est possible d'apprécier clairement la tendance dominante du sujet. Dans d'autres cas, cette tendance sera déterminée par l'artiste : ainsi, si vous prenez pour sujet une marine ayant pour dominante la gamme des bleus, il ne sera pas pour autant nécessaire de vous en tenir aux couleurs réelles ; vous pouvez aussi choisir de donner au sujet une tendance chaude tout en respectant son intensité tonale.

Répartition des couleurs

Mieux vaut respecter un ordre logique dans la répartition des couleurs, c'est-à-dire les disposer de la façon la plus commode selon l'utilisation que vous avez décidé d'en faire. En peinture à l'huile, l'ajout de nuances est constant ; il est important d'organiser en conséquence la répartition des couleurs : si vous devez utiliser plusieurs tons à l'intérieur d'une gamme, comme employer, par exemple, plusieurs rouges vermillon et carmin dans la gamme chaude, il sera toujours plus commode de les disposer en fonction de leur gradation tonale. Cet ordre facilite toujours l'emploi des couleurs et permet de différencier leur chromatisme par rapprochement.

La plupart des artistes utilisent une moitié de leur palette pour les couleurs chaudes et l'autre pour les couleurs froides.

Harmonie des couleurs

La recherche de l'harmonie à l'intérieur des diverses gammes chromatiques est un art complexe. Par harmonie, il faut entendre la relation optimale entre les couleurs et leurs tonalités ; on établit ainsi des gammes harmoniques, de telle sorte que l'on puisse peindre à partir d'une gamme froide, chaude ou rabattue. À l'intérieur de ces gammes de couleurs, il existe une relation harmonique entre les divers tons. Cette œuvre de Degas (à droite) illustre une subtile harmonie de couleurs à tendance froide.

Degas, Portrait de Rose Adélaïde de Gas, *œuvre peinte dans une gamme de couleurs froides.*

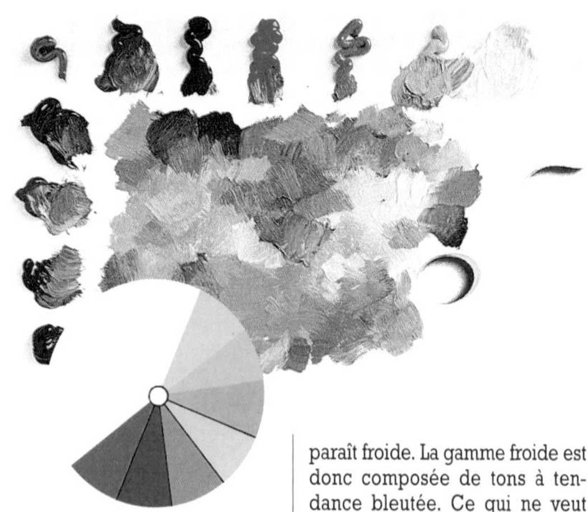

Gamme de couleurs froides

On établit une série de gammes de couleurs suivant l'impression de froideur ou de chaleur qu'elles dégagent. Ainsi, plus le bleu entre dans l'échelle tonale d'une couleur, plus elle paraît froide. La gamme froide est donc composée de tons à tendance bleutée. Ce qui ne veut pas dire que le rouge ne puisse faire partie d'une palette de couleurs froides, mais la tendance de cette couleur dans le tableau sera alors harmonisée vers le bleu.

Pour obtenir des couleurs harmonieuses à l'intérieur de la même gamme, il suffit d'ajouter de petites quantités d'une autre couleur à la couleur de base.

Gamme de couleurs chaudes

La gamme harmonique chaude est, en principe, composée des couleurs proches du rouge ou lui étant apparentées, y compris toute la gamme des couleurs de terre; bien entendu, quoique le bleu de Prusse et le bleu de cobalt soient théoriquement exclus de cette gamme, cela ne vous empêche pas de renoncer à leur emploi dans une dominante de couleurs chaudes, que ce soit pour réaliser les ombres ou rabattre certains tons trop cassants.

Parmi les couleurs froides, on peut rencontrer des couleurs à tendance chaude, comme par exemple le vert jaunâtre ou le violet : il est donc possible de donner une tendance chaude à la couleur la plus froide en lui ajoutant la couleur adéquate.

Il est toujours envisageable d'enrichir une gamme de couleurs déterminée de petites notes de couleurs complémentaires.

La palette de Rembrandt

La palette de Rembrandt se distingue par une forte tendance harmonique chaude et l'absence quasi totale de couleurs froides; il n'y avait recours que pour relever des tonalités tempérées, comme les bruns et les ocres, de façon à ménager une transition en douceur d'une harmonie chaude à une harmonie froide.

Rembrandt, La Sainte Famille *(détail).*

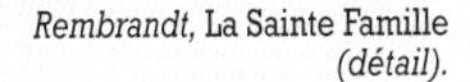

Gamme de couleurs rabattues

Cette gamme s'obtient en associant des couleurs complémentaires en parties inégales, puis en ajoutant du blanc au mélange.

Ainsi, si vous prenez du vert et lui ajoutez un peu de rouge intense, vous obtiendrez une couleur kaki, qui tendra d'autant plus sur le vert que l'apport de rouge sera limité. Si vous ajoutez du blanc au mélange, vous obtiendrez une couleur grisâtre.

La gamme de couleurs rabattues peut, elle aussi, présenter une tendance froide ou chaude, étant donné qu'elle n'exclut aucune couleur de la palette.

Maîtrise des couleurs

Pour manipuler avec aisance les couleurs sur la palette, il faut avoir acquis une bonne connaissance de leur comportement. La maîtrise de la couleur représente en effet un travail de longue haleine : faites de nombreux essais de mélanges et comparez les résultats obtenus sur la palette avec les couleurs réelles du sujet. Si vous obtenez des couleurs qui se rapprochent des couleurs que vous cherchez à reproduire, c'est que vous avez acquis une certaine expérience. C'est surtout grâce à la pratique, et non à une formule infaillible, que vous arriverez à sélectionner avec justesse les couleurs devant composer votre palette.

POUR EN SAVOIR PLUS

- Matériel et fournitures complémentaires **p. 32**
- Mélange de couleurs **p. 48**
- Ébauche d'une œuvre **p. 52**
- Fondu des couleurs **p. 62**

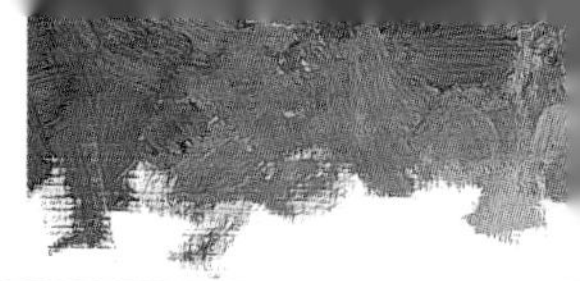

ÉBAUCHE D'UNE ŒUVRE

Pour élaborer une œuvre, il faut avant tout avoir choisi son sujet, disposer d'un bon éclairage et du matériel nécessaire. Hormis ces conditions primordiales, il faut aussi observer quelques règles, car l'exécution d'un tableau suit plusieurs étapes et, bien que l'huile permette des modifications constantes, si vous partez d'une composition bien étudiée et clairement définie, structurée par une première ébauche de couleurs, votre travail en sera grandement facilité.

Étude de la composition

Après l'analyse du sujet, la schématisation globale des formes, leur réduction à une structure géométrique de base, semble être la première difficulté à surmonter, car c'est de cette première étape que dépend en grande partie l'équilibre de la composition.

Déterminer la structure de l'œuvre consiste à en définir les lignes de construction essentielles, en faisant abstraction des détails superflus. Dans cette étude de la composition, vous déterminerez l'espace qu'occupe chacun des éléments du sujet et en délimiterez de façon schématique les contours. Vous pouvez tracer cette première ébauche soit au fusain soit au pinceau chargé d'une couleur très diluée.

Ébauche des couleurs

La peinture à l'huile permet une approche très progressive des couleurs. Pour commencer, il faut étaler sur la toile de larges aplats représentant les principales formes du sujet. Voici une méthode facile d'aborder cette définition initiale des couleurs : observez le sujet les yeux mi-clos jusqu'à ce que vous ne le perceviez plus avec netteté. Ceci vous permettra d'en éliminer tout détail inutile et de ne saisir que de simples masses de couleurs dépourvues de détails superflus pouvant distraire votre attention. Traduisez alors cette vision en synthèse sur la toile : après avoir obtenu des couleurs approchantes sur la palette, définissez les formes générales en étalant de grandes plages de couleurs.

L'esquisse définit les traits essentiels du sujet et sa composition.

Le choix des masses de couleurs définit les plans.

Choix d'une gamme de couleurs

Le sujet dicte d'une façon ou d'une autre la gamme de couleurs à retenir. La coloration de la lumière baignant le modèle peut être une bonne piste. Toutefois, un sujet peut être interprété d'après une gamme chromatique choisie arbitrairement par l'artiste ; ainsi, même si ces couleurs dominantes sont des couleurs chaudes, le peintre est libre de le représenter en se servant d'une gamme froide : alors, il s'attachera plus à rendre l'échelle des valeurs que les couleurs elles-mêmes.

Une gamme chromatique peut inclure des notes de couleurs d'une autre gamme.

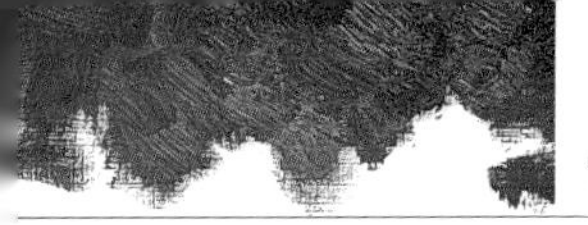

Pinceaux employés

Dans l'ébauche d'une œuvre, les formes sont tracées rapidement, de même que les espaces ainsi délimités ; il est alors conseillé de laisser de côté les pinceaux fins et d'avoir recours à des pinceaux assez larges pouvant être généreusement imprégnés de peinture.

Il ne faut pas oublier que les pinceaux laissent une trace qui va exercer une influence sur l'élaboration ultérieure du tableau. À la suite de cette première ébauche, dans la seconde étape du travail on commence à concrétiser quelques formes en alternant les pinceaux, puis l'on va définir progressivement les nuances, les ombres, les volumes...

POUR EN SAVOIR PLUS

- Composer sa palette **p. 50**
- Peinture associant couteau et pinceau **p. 58**
- Emploi des divers types de pinceaux **p. 60**
- Peinture *alla prima* **p. 64**

Légèreté de la touche

Le coup de pinceau revêt une grande importance dans l'ébauche du sujet, car c'est lui qui va en définir les traits essentiels. Vous pouvez dessiner les principales formes de façon synthétique d'un simple mouvement circulaire du pinceau.

La touche diffère selon la consistance de la peinture dont est chargé le pinceau ; en général, quand il s'agit de poser les premières plages de couleurs sur la toile, il n'est pas conseillé d'utiliser la peinture telle qu'elle sort du tube, mais de la diluer : d'une part, la couleur de base doit toujours être plus maigre de façon à sécher plus rapidement que les couches ultérieures et, d'autre part, il est difficile de retoucher une couche de peinture si elle est trop épaisse.

Ébauche et élaboration de l'œuvre

L'ébauche d'une œuvre par la pose des premières grandes plages de couleurs est intimement liée à l'évolution postérieure de cette dernière : la gamme chromatique de départ définira une tendance à respecter tout au long du travail. La première règle est donc de s'en tenir à la gamme de couleurs initialement retenue et de ne composer sa palette qu'à partir des couleurs répondant à ce chromatisme dominant.

Huile de lin et essence de térébenthine

La première couche de couleur doit être maigre, c'est-à-dire diluée ; la peinture à l'huile est en fait un médium gras, propriété qui lui est conférée par l'huile de lin. Il existe toutefois sur le marché des produits comme l'essence de térébenthine (huile maigre dérivée de la résine de pin), dans lesquels l'huile de lin devient soluble et perd une partie de son caractère gras. Pour ébaucher l'œuvre, il convient donc d'imprégner d'abord le pinceau d'essence de térébenthine avant de prendre la peinture sur la palette.

L'ébauche des couleurs doit être légère, exécutée avec des couleurs très diluées.

La première couche de couleur doit toujours être plus maigre que les suivantes.

TECHNIQUES MIXTES ET RÈGLE DU GRAS SUR MAIGRE

Si la peinture à l'huile est brillante et lumineuse, c'est précisément grâce au principal médium entrant dans sa composition : l'huile de lin, d'œillette ou de noix; transparente, l'huile imprègne et enveloppe le pigment, lui conférant éclat et stabilité après séchage. La peinture à l'huile sèche lentement et, quel que soit le médium pictural qui lui est associé, la règle de base à respecter est de peindre gras sur maigre.

Propriétés de la peinture à l'huile

Une bonne connaissance du médium pictural est essentielle pour en exploiter au mieux les ressources. Plusieurs caractéristiques distinguent la peinture à l'huile des autres médiums : stabilité de la couleur après séchage, possibilités chromatiques illimitées, élasticité et volume.

Ces caractéristiques lui confèrent des propriétés plastiques incomparables : elle permet d'obtenir des finis identiques à ceux d'autres techniques picturales, mats ou brillants, des effets semblables à ceux de la détrempe ou de l'aquarelle, mais avec la possibilité de procéder à des retouches car elle sèche plus lentement. Elle peut être lisse ou texturée, opaque ou transparente. En outre, elle possède la propriété unique de conserver la forme qu'on lui donne, même en cas de fort empâtement.

Principe du gras sur maigre

La peinture à l'huile étant grasse par nature, et la couche de base devant toujours être maigre, il est donc nécessaire d'avoir recours, pour l'application de ce fond, à un médium dans lequel n'entre pas ou presque pas d'huile. Vous avez le choix entre :

Un fond peint à la peinture acrylique est une bonne base pour la peinture à l'huile.

- Réduire la proportion d'huile de la peinture de 50 à 30 %, en la diluant avec, au maximum, 70 % de térébenthine (ces quantités sont approximatives).
- Utiliser un médium ne renfermant pas d'huile, une peinture au latex par exemple ; ce médium aqueux offre l'avantage de sécher plus rapidement et de réduire le temps d'attente entre la pose de la première couche et l'application des couleurs à l'huile.

Association de techniques

La pratique d'autres techniques picturales offre à l'artiste une plus grande souplesse de travail.

La peinture à l'huile est compatible avec presque tous les autres médiums, du moment qu'ils sont employés en proportion raisonnable.

Utilisées en petite quantité, les cires réchauffées au bain-marie peuvent être mélangées à de l'essence de térébenthine et aux couleurs à l'huile, leur donnant un aspect satiné.

Les peintures acryliques sont également de bonnes bases pour la peinture à l'huile, ces deux médiums pouvant être associés sans problème.

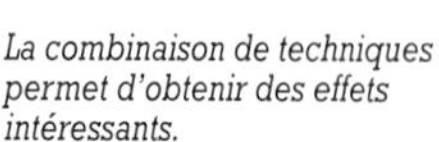

La combinaison de techniques permet d'obtenir des effets intéressants.

POUR EN SAVOIR PLUS

- Additifs de texture **p. 76**
- Incorporation de matériaux **p. 78**

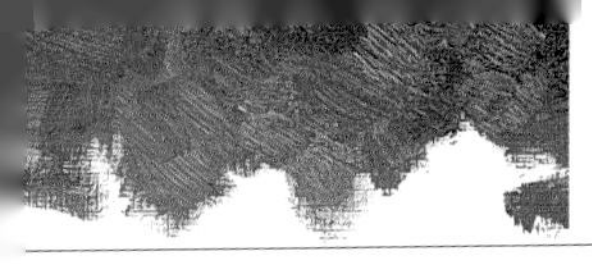

Richesse de texture

Cette œuvre présente une grande richesse de texture. La peinture a été appliquée en pâte épaisse et en touches larges sur une base maigre transparaissant à certains endroits. Dans ce genre de technique, il faut toujours veiller à ce que les couches inférieures soient plus diluées pour éviter le décollement ou le craquèlement des couches plus épaisses.

Incorporation de diverses matières

La peinture à l'huile offre aussi l'avantage, grâce à sa capacité agglutinante, de pouvoir être mélangée à diverses matières : vous pouvez, de cette manière, en modifier l'aspect en créant d'intéressants effets de texture.

Incorporez tout simplement à la peinture déposée sur la palette un peu de sable, de sciure, de poudre de marbre ou tout autre matière. La peinture enrobera et retiendra cette matière étrangère qui, après séchage, donnera à la couche picturale un grain très particulier.

Pastels gras

Dans les magasins de fournitures pour artistes, vous trouverez un large éventail de produits à base d'huile pouvant être employés soit pour la peinture directe, soit en sous-couche pour la peinture à l'huile. Certains pastels gras renferment aussi de la cire. Ils se présentent sous forme de bâtonnets, et leur solubilité dans l'huile et l'essence de térébenthine constitue un avantage quand il s'agit de prendre des croquis ou d'esquisser un tableau, car on peut alors se passer de pinceaux et de couleurs.

Beaucoup d'artistes associent diverses techniques en veillant toujours à ne pas employer de médium maigre sur un médium gras. Le tableau ci-contre a été exécuté à la peinture à l'huile sur une base acrylique.

Les pastels gras ont une compatibilité immédiate avec la peinture à l'huile.

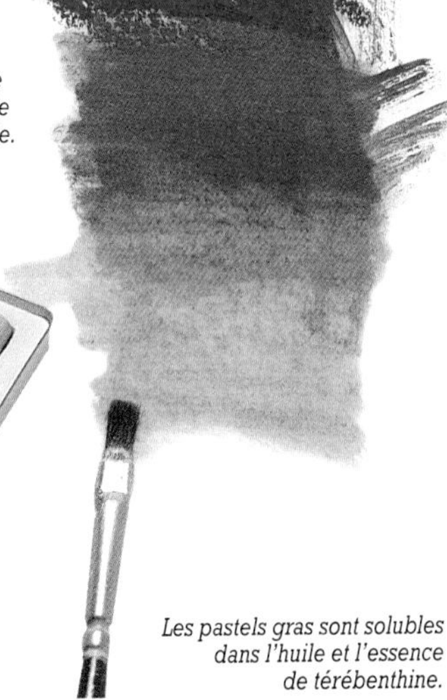

Les pastels gras sont solubles dans l'huile et l'essence de térébenthine.

EMPLOI DU COUTEAU

Le couteau est un instrument à usages multiples dans la technique de la peinture à l'huile, que ce soit pour composer les mélanges sur la palette ou pour étaler et modeler les couleurs sur la toile. Jusqu'à la fin du XIXe siècle, il figurait rarement dans la panoplie du peintre. Depuis, la technique de la peinture au couteau a évolué : elle est employée par bon nombre de peintres abstraits et figuratifs, et pour la représentation de tous les genres picturaux.

Le couteau permet de couvrir rapidement de larges surfaces.

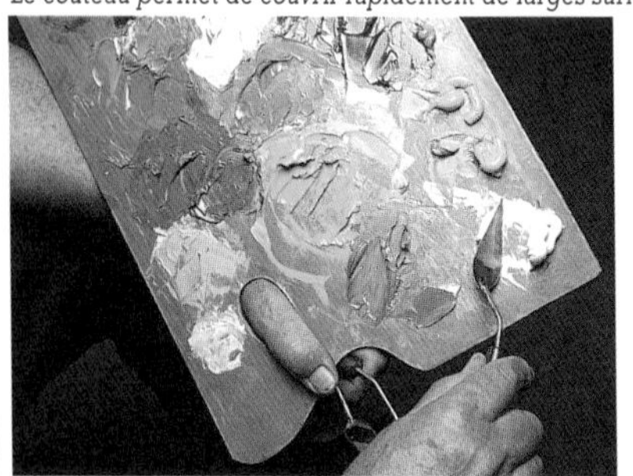

Pose des couleurs

Avant tout, vous devez avoir une idée claire de la technique que vous allez adopter, si vous allez peindre uniquement au couteau ou vous servir conjointement du couteau et du pinceau. La pose des couleurs au couteau s'effectue de différentes façons :

- Pour étendre de larges aplats de peinture au moment de l'ébauche d'une œuvre, utilisez un couteau de forme allongée. Ramassez la peinture sur la palette avec le revers du couteau et étalez-la largement et rapidement sur la toile pour définir les principales masses colorées.
- Pour réaliser des empâtements, c'est-à-dire appliquer la peinture en couche épaisse et créer des textures de tous types, prélevez une certaine quantité de peinture et déposez-la sur la toile avec un couteau triangulaire, puis modelez-la en vous servant du même couteau.

Étendez les empâtements toujours du moins gras au plus gras : diluez les premières couches avec une plus grande proportion d'essence de térébenthine que les couches suivantes.

L'esquisse au pinceau facilite l'ébauche au couteau.

POUR EN SAVOIR PLUS

- Couteaux **p. 42**
- Peinture associant couteau et pinceau **p. 58**

La pointe du couteau permet de moduler la texture de la peinture.

En passant légèrement le couteau sur la peinture, on peut jasper la couleur.

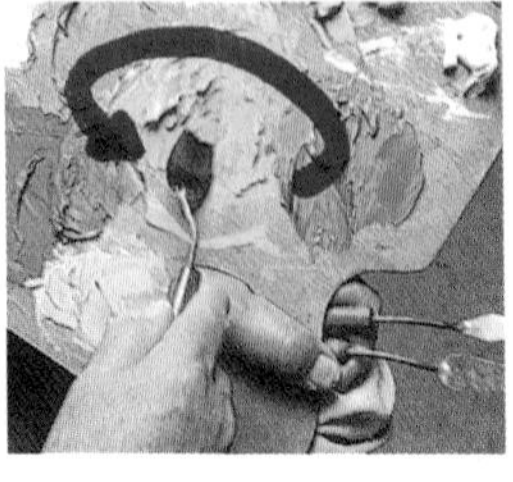

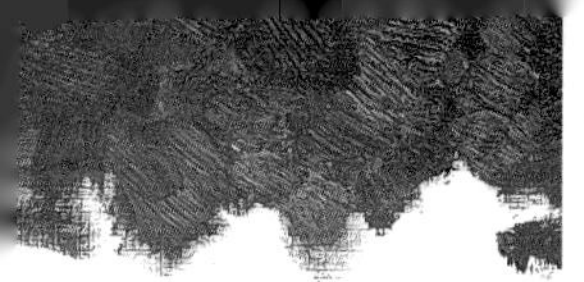

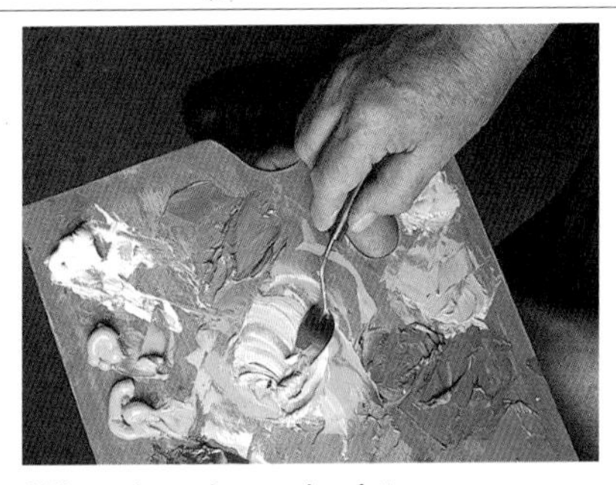

Mélange des couleurs sur la palette.

Traçage de lignes avec le fil du couteau.

Repentirs

Le travail au couteau se distingue par les effets de matière qu'il permet d'obtenir. Cependant, le couteau n'est pas seulement employé pour étendre, texturer et modeler la peinture. C'est également un outil idéal pour les repentirs, quand il s'agit d'apporter des modifications à une œuvre ou d'en corriger certaines erreurs au cours de son exécution, qu'elle ait été peinte au pinceau ou au couteau : il est alors très utile pour racler la peinture encore fraîche et retrouver la toile pratiquement intacte, prête à être repeinte.

Plat du couteau

La lame du couteau peut être utilisée sous tous ses angles. Sa partie plane sert essentiellement à créer des effets texturés en modelant la peinture pâteuse comme s'il s'agissait d'une truelle de maçon. Mais vous pouvez aussi l'employer pour étaler les couleurs en grands aplats lisses.

En étalant une couche de couleur fraîche sur une autre couleur fraîche, vous pouvez en la lissant, tout en exerçant une légère pression, faire apparaître la couleur sous-jacente et obtenir un effet jaspé ou marbré.

Peinture directe

Vous pouvez travailler de façon spontanée au couteau en appliquant les couleurs pures et en les mélangeant directement sur la toile alors qu'elles sont encore fraîches, au fur et à mesure de l'élaboration de l'œuvre, sans vous servir de palette.

Cette technique de peinture directe donne en général des résultats pleins de vivacité et de fraîcheur, et nombreux sont les artistes qui ont alors exclusivement recours au couteau.

Pointe du couteau

Le processus d'élaboration d'une œuvre au couteau peut être très varié. Suivant la façon d'utiliser sa pointe, vous pouvez créer les effets suivants :

- *Grattages* (laissant transparaître les couches sous-jacentes).
- *Aspérités* (en appuyant la pointe du couteau sur la couche de peinture encore fraîche et en le retirant d'un geste vif).
- *Pointillisme* (en juxtaposant sur la toile de petites notes de couleurs qui, de loin, créent l'illusion optique d'une unité chromatique).

Sgraffite sur peinture fraîche.

Lissage de la peinture avec le plat du couteau.

Ressources multiples du couteau

Ici, l'artiste a exploité toutes les ressources du couteau, en combinant empâtements, effets jaspés et mélange direct des couleurs sur la toile. Le couteau se révèle particulièrement utile pour l'application de larges aplats de couleurs ou la définition de formes géométriques.

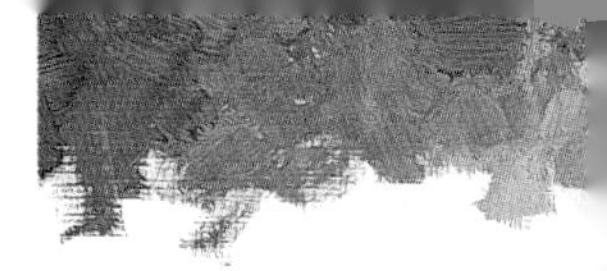

PEINTURE ASSOCIANT COUTEAU ET PINCEAU

L'élaboration d'une œuvre à la peinture à l'huile suppose une bonne connaissance de la technique, de la couleur, comme du maniement du couteau et du pinceau. L'huile offre au peintre la possibilité d'associer différents procédés dans l'exécution d'une même œuvre et d'y intégrer ainsi plusieurs modes d'expression.

Ébauche générale du tableau au pinceau...

...complétée par une ébauche au couteau.

Travail au couteau et au pinceau

Un tableau peut être ébauché au couteau ou au pinceau. Cette ébauche présentera différents aspects suivant l'instrument employé : le couteau permet une résolution parfaite des plans du sujet et synthétise bien les formes ; le pinceau, quant à lui, reste idéal pour la couverture, la fusion et la résolution de formes complexes. Si vous partez d'une ébauche au pinceau, vous pouvez toujours employer le couteau pour traiter les zones auxquelles vous voulez donner plus de texture. Ainsi, dans un paysage, vous pouvez ébaucher les formes principales au pinceau et retoucher le ciel au couteau en étirant la peinture pour mélanger les couleurs en créant des effets jaspés.

De même, un tableau ébauché rapidement au couteau peut être retouché au pinceau, dont la souplesse permet d'accentuer le dynamisme de certaines formes.

Peinture au pinceau retouchée au couteau

Après avoir ébauché un sujet au pinceau, vous pouvez choisir de poursuivre au couteau pour unir l'ensemble, en superposant des empâtements qui se mélangent avec le fond.

Comme on l'a déjà vu, le couteau offre autant de possibilités que le pinceau, mais chaque instrument laisse une empreinte particulière. Si vous effectuez des retouches au couteau sur une œuvre entièrement peinte au pinceau, faites en sorte de ne pas rompre le rythme des coups de pinceau. Travaillez tout en finesse, en ne déposant que de petites quantités de peinture et en fondant la touche du couteau et celle du pinceau.

Dans certains cas, l'emploi du pinceau dans des œuvres peintes au couteau s'avère nécessaire, notamment quand il s'agit de dessiner ou souligner des formes, comme les tiges de fleurs ou de petits détails...

La pointe du couteau ouvre des blancs dans la peinture fraîche.

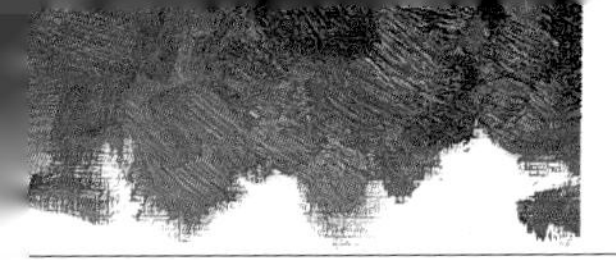

Le couteau pour l'ébauche, le pinceau pour la finition

Le couteau aide à la résolution rapide des principales masses de couleur d'une œuvre, puisqu'on peut l'utiliser pour étaler et lisser la peinture sur de larges surfaces sans créer d'effet texturé.
Sur cette couche de peinture fraîche, on peut travailler en définissant les formes et en nuançant les couleurs.

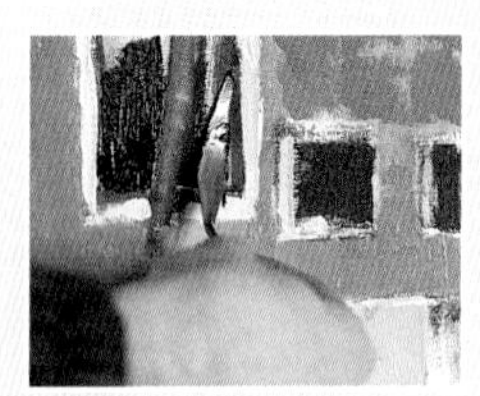

Travail associant couteau et pinceau.

Pour couvrir de grandes surfaces

Au cours du processus d'élaboration d'une œuvre, il arrive souvent que l'on ait à poser de larges aplats de couleurs, devant rester tels quels jusqu'à l'achèvement du tableau ou être retouchés postérieurement.

Le couteau est l'instrument idéal pour couvrir rapidement de grandes surfaces, voire pour étaler la couleur sur l'ensemble du tableau ; en ce cas, vous pouvez utiliser un couteau large, facilitant l'étalement uniforme de la peinture, les raccords entre les touches étant lissés au fur et à mesure des passages. Libre à vous ensuite, si vous le souhaitez, de travailler au pinceau.

Empreinte du couteau

Tous les instruments de peinture laissent une empreinte qu'il est intéressant de connaître pour mieux la contrôler. La texture obtenue dépend de la forme du couteau et de la manière de l'utiliser. La combinaison des empreintes de divers couteaux permet de construire l'œuvre.

Dans l'évolution d'une œuvre, on emploie alternativement le couteau et le pinceau jusqu'à l'obtention du résultat souhaité.

L'ampleur du geste intervient aussi pour une grande part. Il peut être :

- *Large*, pour étaler la peinture.
- *Court et ramassé*, pour poser la couleur sur une zone déterminée.

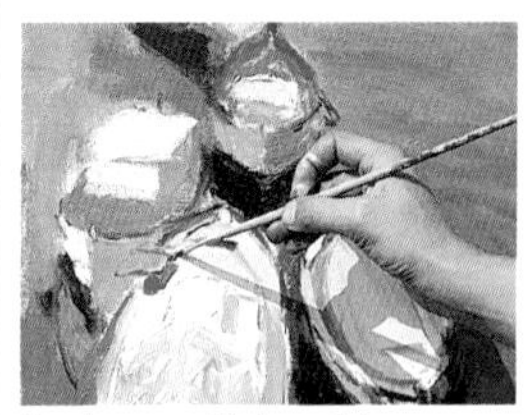

Le pinceau aide à modeler l'empreinte du couteau.

- *Ponctuel*, pour déposer de toutes petites quantités de peinture.
- *Descriptif*, pour modeler les volumes.

Le couteau permet aussi d'étaler la peinture.

POUR EN SAVOIR PLUS

- Couteaux **p. 42**
- Emploi du couteau **p. 56**
- Peinture *alla prima* **p. 64**

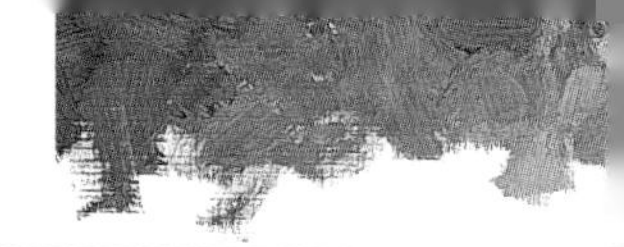

EMPLOI DES DIVERS TYPES DE PINCEAUX

Les principaux outils du peintre sont la palette et les pinceaux ; la palette lui sert à mélanger les couleurs en vue d'obtenir une harmonie déterminée. Quant aux pinceaux, ils ont chacun une fonction différente selon leur forme et la qualité de leurs poils ; certains ont des poils souples et fins, d'autres des poils raides et épais. Les pinceaux langues-de-chat, à bout carré, à bout rond, en éventail, fins ou épais, laissent tous une empreinte particulière sur le tableau.

Ébauche

Le pinceau langue-de-chat, en soie de porc ou poil de bœuf, est épais et raide, mais assez nerveux. Ces caractéristiques, jointes à sa pointe arrondie, en font un instrument idéal pour ébaucher et fondre les couleurs avec fraîcheur et liberté. Ce type de pinceau a une bonne capacité d'absorption et peut être autant chargé en peinture qu'un couteau. Par ailleurs, l'élasticité dépend de la longueur du poil : un pinceau plus court récupère mieux sa forme. La touche sera plus couvrante si le pinceau est bien imprégné de peinture et si l'on lisse à nouveau la touche de peinture en partant du début pour bien l'uniformiser.

Techniques du pinceau sec et du frottis

Ces techniques permettent d'obtenir des effets très intéressants en laissant apparaître les couleurs des couches sous-jacentes autrement que par transparence ; elles s'exécutent avec des pinceaux à bout carré en soie de porc raide. Vous pouvez utiliser aussi des brosses plates plus ou moins larges de qualité ordinaire, la taille du pinceau dépendant du résultat que vous voulez obtenir. Les pinceaux usés conviennent parfaitement à cet emploi.

La technique du pinceau sec donne de meilleurs résultats quand elle est pratiquée sur fond sec ou pratiquement sec. Ne chargez pas votre pinceau de façon excessive, il doit être juste imprégné de couleur.

Vous ne repasserez pas sur les touches mais les juxtaposerez en faisant en sorte qu'elles s'imbriquent les unes dans les autres, et en jouant avec l'empreinte laissée par les poils du pinceau. Le frottis est également un travail au pinceau presque sec qui, comme son nom l'indique, consiste à frotter énergiquement une couche de peinture pour faire apparaître les couleurs sous-jacentes.

Pour ses multiples représentations de la montagne Sainte-Victoire, Cézanne a expérimenté différentes textures et utilisé un large éventail de pinceaux produisant des touches et des effets très variés.

Pinceaux en soie de porc.

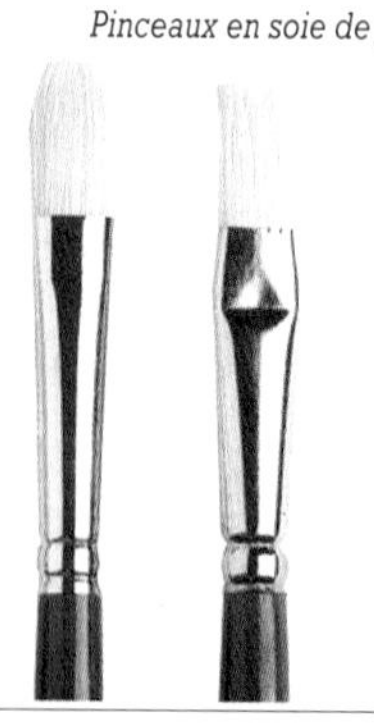

Dans ce détail d'un autoportrait de Rembrandt, on peut apprécier le travail de frottis, auquel l'artiste avait souvent recours.

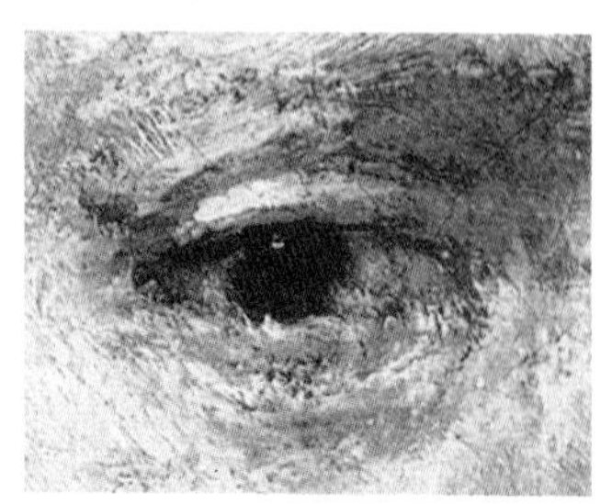

Détails et fondu des couleurs

Pour ces interventions sur la toile nécessitant des touches d'une grande délicatesse, vous utiliserez des pinceaux à poils doux et souples, de la forme la plus adaptée – pinceaux à extrémité plate et arrondie, dits langues-de-chat, pinceaux ronds à bout effilé ou pinceaux plats à bout carré. Ces coups de pinceau devant rester très fins et discrets, vous n'utiliserez, bien entendu, pour ce travail méticuleux, que des pinceaux de faible numérotation.

Après avoir été mélangées sur la palette, les couleurs doivent être incorporées avec douceur à la couche de peinture encore fraîche. Le fondu des couleurs s'effectue également avec une extrême délicatesse : il s'agit d'obtenir une modulation régulière et harmonieuse des couleurs ou des tons qui ne laisse pas apparaître les coups de pinceau.

Variété des touches

L'élaboration d'une œuvre naît de la combinaison de différentes touches et implique, par conséquent, l'emploi de pinceaux de diverses formes et tailles.

Le fondu des couleurs engendre des dégradés de tons d'une grande douceur.

Toile imprégnée d'un fond de couleur.

Chaque type de pinceau laisse dans la peinture la marque de son passage ; la variété des touches dépendra de l'assortiment de pinceaux retenu.

L'utilisation d'un seul pinceau entraîne un appauvrissement du rythme de l'œuvre ; une toile aura d'autant plus de caractère qu'elle associera des coups de pinceau bien marqués à des tracés plus doux et plus fondus.

Différents types de poils

La qualité des poils d'un pinceau influe autant que sa forme sur l'empreinte qu'il laisse sur la toile et lui confère de la même façon des emplois spécifiques.

Les pinceaux aux poils les plus raides sont ceux en soie de porc : à la fois fermes et flexibles, ils conviennent pour tracer les grandes lignes d'une composition, couvrir de grandes surfaces ou rendre des effets de texture. Un peu plus souples, les pinceaux en poil de bœuf peuvent être employés pour obtenir des textures moins marquées.

Les pinceaux les plus souples et les plus doux sont ceux en poil de martre ou de mangouste : ils sont bien adaptés à un travail tout en délicatesse, lisse et fondu.

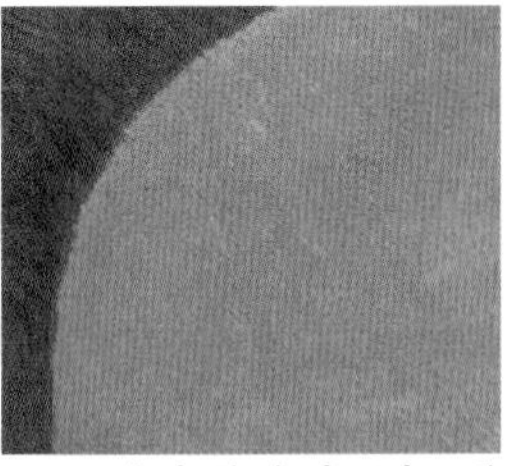

Le frottis s'exécute à partir d'une couleur uniforme.

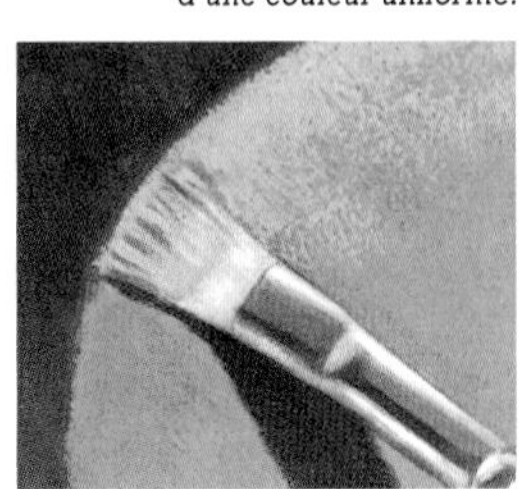

Frottez énergiquement la peinture avec un vieux pinceau usé...

... vous obtiendrez ce résultat.

La touche de Van Gogh

L'examen de cette œuvre révèle l'empreinte de trois pinceaux en soie de porc de tailles différentes. Chaque type de pinceau s'apprécie d'après la touche qu'il laisse, jouant avec la perspective du tableau.

Le Docteur Gachet *(détail).*

Pinceaux en poil de martre.

POUR EN SAVOIR PLUS

- Pinceaux **p. 38**
- Peinture associant couteau et pinceau **p. 58**
- Peinture par étapes **p. 66**

FONDU DES COULEURS

Ce qui rend la peinture à l'huile si précieuse aux yeux des artistes, c'est sa richesse chromatique et les possibilités de mélanges qu'elle offre. Denses et grasses, les couleurs à l'huile se prêtent à une fusion parfaite. En outre, contrairement aux autres médiums, elles ne varient pratiquement pas après séchage : il est appréciable pour le peintre de savoir que son travail ne sera pas altéré par la lumière et conservera toujours le même éclat.

Subtilité des mélanges

Les couleurs à l'huile peuvent être mélangées à l'intérieur d'une gamme harmonique déterminée tout en fournissant une infinité de possibilités chromatiques. Les mélanges s'effectuent sur la palette en fonction des couleurs déjà posées sur le tableau.

La justesse d'une couleur ne peut être correctement évaluée que par juxtaposition de cette couleur aux autres couleurs de l'œuvre, car notre rétine ne perçoit pas les couleurs indépendamment les unes des autres, mais les associe. On ne compose donc pas seulement un mélange de couleurs en fonction des couleurs réelles du sujet, mais des couleurs choisies pour le représenter. La relation tonale des mélanges doit être basée sur la complémentarité des couleurs. Ainsi, une peau claire peut être nuancée de vert... à partir du moment où cette couleur s'insère agréablement dans l'harmonie chromatique de l'ensemble de l'œuvre.

Gamme froide.

Gamme chaude.

Un fond clair accentue les contrastes.

L'harmonisation tonale rapproche les plans.

Dégradés de tons

Pour parvenir à une gradation uniforme des tons d'une seule couleur, il faut travailler les mélanges à la fois sur la palette et sur la toile, en réalisant un fondu progressif entre la couleur ajoutée et celle qui a déjà été posée sur la toile.

La réalisation d'une gradation tonale d'une couleur sombre vers une couleur claire, qu'elles appartiennent ou non à la même gamme chromatique, implique la superposition d'une nouvelle couleur sur la couleur antérieure et une fusion entre les deux. Il faut procéder à de nombreux passages au pinceau pour lier les deux couleurs, en rehaussant progressivement la couleur résultant de ce mélange vers la couleur pure, tout en veillant à ne pas souiller les deux couleurs de départ.

L'huile permet une subtile gradation des tons et des couleurs.

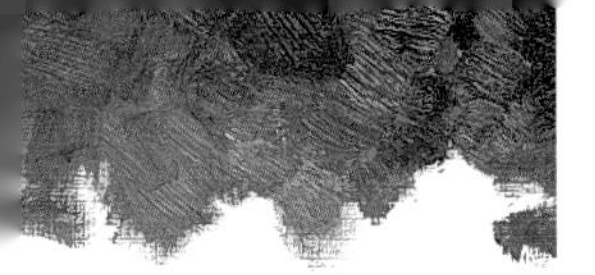

Juxtaposition des couleurs

Deux couleurs adjacentes entrent toujours en conflit si, durant leur élaboration, on n'a pas prêté suffisamment attention à leur association. Dans un tableau, les couleurs voisines exercent toujours une influence l'une sur l'autre. La lumière rebondit sur les objets et transmet une partie de leurs couleurs aux objets qui les entourent. En fondant deux couleurs voisines, vous obtiendrez une nouvelle teinte qui harmonisera leur juxtaposition. En mélangeant deux couleurs primaires, vous obtiendrez une couleur secondaire, et le mélange de deux couleurs secondaires vous donnera une couleur tertiaire.

Il n'est pas nécessaire de réaliser ces mélanges de couleur directement sur la toile, vous pouvez aussi les composer sur la palette.

Harmonisation tonale

L'harmonisation de l'intensité de différentes couleurs ne peut s'effectuer que sur la palette ; certaines couleurs ont plus d'éclat et de luminosité que d'autres, ce qui peut être gênant quand elles sont employées côte à côte. Une couleur déterminée peut être alors teintée de nuances empruntées aux couleurs qui l'environnent de manière à équilibrer la gamme harmonique.

L'emploi d'une gamme chromatique chaude ne doit pas exclure l'introduction de notes de couleurs froides.

Les objets reflètent non seulement leur propre couleur, mais aussi les couleurs complémentaires des objets environnants.

Le pinceau permet à la fois l'étalement et la fusion de la couleur.

Choix du pinceau

Avant d'intervenir sur une zone déterminée du tableau, il faut tenir compte du type de trait ou d'empreinte que va laisser le pinceau. Dans certains cas, cette empreinte peut être intéressante pour souligner les formes ; en revanche, si vous souhaitez fondre discrètement des couleurs, employez des pinceaux souples et doux qui ne laisseront aucune trace visible.

Toutefois, si vous voulez accentuer le caractère graphique de votre œuvre et lui donner plus de force, vous pouvez travailler aussi les fusions de couleurs avec un pinceau raide laissant une empreinte marquée.

Fondu des couleurs à l'époque rococo

Au XVIIIe siècle, certains peintres français remplacèrent les huiles par des essences, dont l'essence de térébenthine rectifiée, pour obtenir des peintures maigres. Cela leur permit de réaliser des fondus de couleurs d'une telle délicatesse que la touche du pinceau y était à peine perceptible. Ils atteignirent un tel degré de perfection dans cette technique qu'il est difficile à un profane de distinguer parmi les œuvres de cette période celles qui ont été exécutées aux pastels de celles qui ont été peintes à l'huile.

François Boucher, Jeune Fille couchée.

POUR EN SAVOIR PLUS

• Technique du glacis **p. 68**

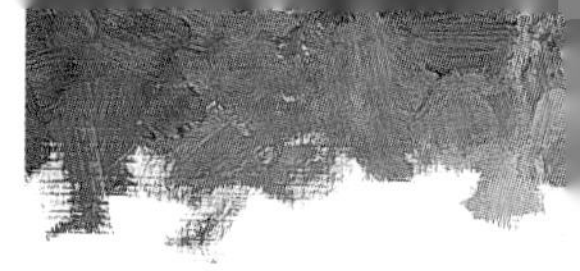

PEINTURE *ALLA PRIMA*

Il est possible de peindre entièrement un tableau en se servant seulement de trois couleurs à partir desquelles, si l'on maîtrise bien la théorie des couleurs, on peut obtenir une vaste gamme chromatique. La peinture rapide, ou *alla prima,* d'une facture plus spontanée et plus énergique, exige précisément de l'artiste un parfait maniement de la couleur. Elle constitue un excellent exercice pour développer tant l'habileté manuelle que la capacité de synthèse.

Spontanéité de la technique

La peinture *alla prima* exige une grande spontanéité, qui ne peut s'acquérir qu'avec la pratique et l'expérience. Commencez par définir clairement le sujet par une esquisse ou un croquis rapide au crayon. Ce premier travail est fondamental; exercez-vous souvent pour parvenir à ne saisir que les lignes essentielles du sujet. Les seules fournitures dont vous avez besoin sont un crayon et une feuille de papier. De même pour la peinture : avec seulement trois couleurs – du jaune, du bleu et du magenta –, vous pouvez obtenir toute la gamme chromatique. Associez à cette palette réduite quelques brosses plates assez larges.

Esquisse rapide.

Ébauche générale

L'ébauche d'une peinture rapide doit rester très générale tant au niveau des formes que des couleurs. Les premiers mélanges effectués sur la palette doivent avoir pour but la recherche des principales couleurs du sujet ou de sa couleur dominante. Il n'est pas question à ce stade de s'attarder à la définition des nuances ou des ombres.

Les pinceaux larges sont parfaits pour couvrir d'amples surfaces, mais veillez néanmoins à poser les aplats de couleurs avec précision sur les espaces concernés, sans empiéter sur les parties voisines. Définissez ainsi par la couleur les principales zones du tableau, qui doit être conçu au départ comme un ensemble de plages uniformes.

Peindre et dessiner à la fois.

Peindre en négatif en couvrant seulement le fond.

Reflets sur l'eau

Ce travail en peinture directe a été exécuté en une seule séance. L'artiste a commencé par poser les principales plages de couleurs, à définir les formes des barques et le décor du port au fond. Les reflets sur l'eau ont été réalisés à la fin, à l'aide de quelques touches libres.

Mise au jour des couches inférieures

La peinture peut être appliquée de diverses façons en fonction du résultat recherché. Si, après avoir superposé plusieurs couches de peinture, vous voulez créer des effets jaspés ou un dynamisme particulier entre les différentes couleurs, vous pouvez toujours donner de nouveaux coups de pinceau pour faire ressortir les couches précédentes. La technique est simple : sur la couche de peinture fraîche, appliquez une autre couleur en la repassant deux fois ou plus au pinceau, en veillant toutefois à ne pas les mélanger. Cet effet accentue la vibration des couleurs complémentaires. Veillez cependant à ne pas trop insister sur les coups de pinceau : les couleurs doivent rester pures.

Peinture directe au tube.

Peinture dans le frais

La technique de peinture rapide suppose une superposition de couches d'huile. L'emploi de gros pinceaux permet à l'artiste d'incorporer de nouvelles couches de peinture masquant les couches inférieures, les coups de pinceau, larges et spontanés, n'étant pas retouchés par la suite.

La peinture dans le frais permet d'obtenir la création de textures ou le modelage de volumes, le striage ou le soulèvement de couches de peinture à l'aide du couteau ou de l'extrémité du manche du pinceau, ou encore l'exécution de fondus de couleurs avec les doigts. Lorsqu'on peint dans le frais, on entraîne toujours, quand on étale une nouvelle couche de peinture, une partie de la couche sous-jacente. En fait, ce n'est pas un inconvénient, car cet effet se reproduit sur toute la surface du tableau et lui donne de la cohérence.

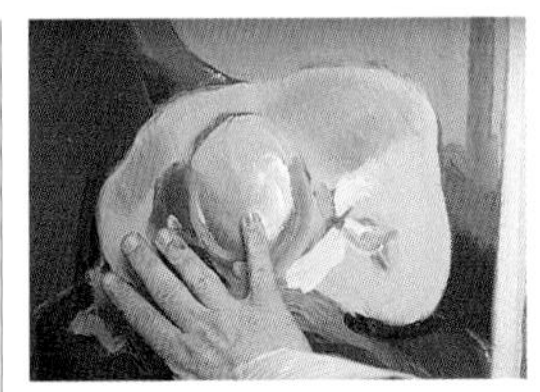

Fondu des couleurs avec les doigts.

Mélange des couleurs sur la toile

En général, la peinture rapide se prête au mélange des couleurs encore fraîches directement sur la toile, les teintes étant modifiées par un mouvement rapide du pinceau lors de la pose des touches de couleur. Il est alors indispensable de bien maîtriser la théorie des couleurs, car une bonne connaissance de la composition des mélanges facilite l'obtention d'une teinte à partir d'une autre teinte.

Ainsi, vous pouvez composer directement sur le tableau des couleurs secondaires à partir de deux couleurs primaires ; si, par exemple, vous voulez nuancer de vert une surface bleue, ajoutez simplement du jaune et mélangez les deux couleurs. Pour obtenir les couleurs tertiaires, vous procéderez de la même manière, mais en mélangeant en ce cas deux couleurs secondaires.

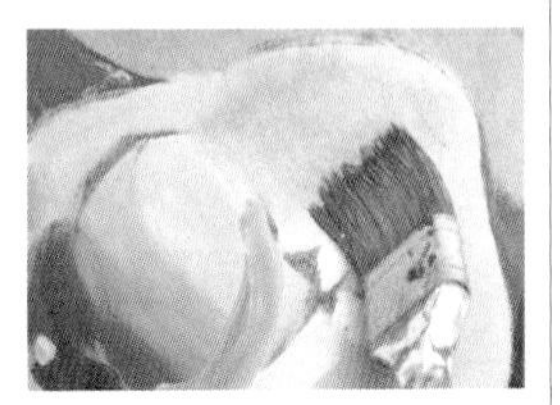

Emploi de pinceaux larges.

Séchage de l'huile

La lenteur de séchage de l'huile favorise la peinture directe, car les retouches dans le frais restent toujours possibles. Si vous voulez accélérer ce temps de séchage, il faut faire en sorte que les premières couches de peinture soient plus maigres, c'est-à-dire plus diluées à l'essence de térébenthine ; si, par exemple, le médium est constitué à parts égales d'huile de lin et d'essence de térébenthine, augmentez la proportion de cette dernière. Le séchage sera encore plus rapide si vous ajoutez à la peinture à l'huile quelques gouttes de siccatif au cobalt ; mais n'en abusez pas, au risque de voir les couleurs se détériorer et se craqueler.

POUR EN SAVOIR PLUS

• Technique : esquisse, croquis rapide **p. 46**
• Composer sa palette **p. 50**

PEINTURE PAR ÉTAPES

La peinture par étapes consiste à appliquer la peinture en couches successives, en attendant chaque fois que la couche précédente soit sèche. On peut ainsi élaborer un travail détaillé et mesuré au niveau de chaque touche de peinture. Beaucoup d'artistes ont recours à cette technique pour exécuter des travaux d'une grande délicatesse n'admettant pas de recherche de mélanges ailleurs que sur la palette.

Ici, le peintre a attendu que chaque couche soit sèche avant d'appliquer une nouvelle couche.

Après avoir laissé sécher la première couche, il a appliqué la peinture au pinceau presque sec.

Un travail méticuleux

Un croquis détaillé, tant du sujet que des éléments qui l'environnent, est la base de départ d'une technique épurée. Le dessin très précis permet de se concentrer sur la définition de la couleur et le modelé des formes, le peintre n'ayant pas besoin de construire l'œuvre au pinceau comme dans la peinture directe. Commencez par poser les grands aplats de couleurs à l'huile maigre, diluée à l'essence de térébenthine, en respectant les contours des formes voisines devant recevoir une autre couleur. Peignez ainsi toutes les zones chromatiques du tableau sans entrer dans les détails.

Quand vous aurez terminé cette ébauche, vous laisserez sécher l'œuvre un ou deux jours seulement, car cette première couche de peinture est mince. Durant les séances suivantes, vous enrichirez l'œuvre de nuances et de détails, en ne retouchant chaque fois que les zones qui ont eu le temps de sécher.

Les détails ont été travaillés à la fin.

Dans le contraste entre lumières et ombres, la définition des points les plus lumineux est essentielle.

Durée des séances

Ce type de travail demande de la patience et de la précision ; la composition des couleurs sur la palette est essentielle dès le départ. Les couleurs, même si elles n'ont pas un caractère définitif, puisque toute addition ultérieure peut les modifier, doivent être les plus approchantes de celles du sujet.

Les séances ne doivent pas durer très longtemps, car quand

Pour définir les traits du visage, les touches doivent être fines et légères.

POUR EN SAVOIR PLUS

• Technique du glacis **p. 68**
• Repentirs ou retouches **p. 90**
• Achèvement et vernissage **p. 94**

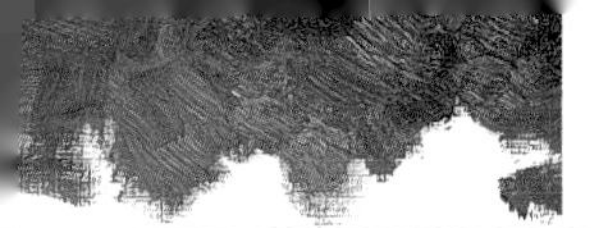

la peinture est appliquée sur certaines zones, il faut la laisser sécher. Ce processus implique d'opérer par zones : on travaille à chaque séance les zones que l'on ne retouchera qu'à l'occasion de séances ultérieures. Ainsi, vous pouvez commencer certaines zones tandis que vous en concluez d'autres.

La peinture par étapes requiert de la patience et du temps.

Une ébauche rapide permet de définir la gradation tonale.

Après séchage, on peut nuancer les principales plages de couleurs.

Résolution des défauts

Il peut se faire que, après de longues et fastidieuses séances de travail, vous soyez confronté à un certain nombre de problèmes, comme à la formation de rides, de craquelures, au décollement de la couche picturale ou à la modification des couleurs. Vous pouvez éviter tous ces inconvénients en respectant certaines règles : en peignant toujours gras sur maigre, vous éviterez les craquelures ; la peinture ne ridera pas si vous ne la saturez pas en huile ; n'employez pas le siccatif au cobalt en quantité excessive, car il peut alors altérer les couleurs (en général, les peintures toutes prêtes renferment déjà une proportion adéquate de siccatif) ; avant de mélanger les couleurs, tenez compte de leur compatibilité – le jaune de cadmium noircit quand il est mélangé à des couleurs à base de cuivre (comme le vert émeraude, par exemple) ou du blanc de plomb, le rouge de cadmium non plus. Les bruns et les noirs sèchent rapidement et ne doivent pas être employés dans les premières couches, ou pour la couverture de grandes superficies, ni être utilisés en couches épaisses.

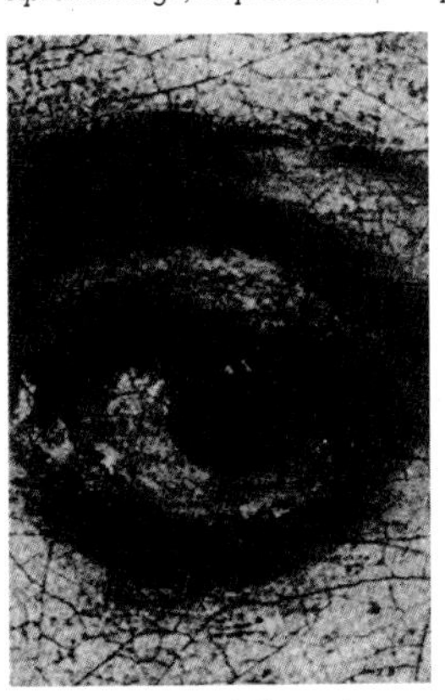

Le craquèlement de la couche picturale est un accident fréquent.

Effets divers

Sur une couche d'huile sèche, on peut réaliser de multiples effets optiques et plastiques. L'huile peut être travaillée en couche opaque ou transparente, avec divers types et emplois de pinceaux. Avec un pinceau quasi sec, frottez énergiquement une couche de peinture pour laisser entrevoir la couche inférieure ; dans le glacis, de fines couches de peinture transparente sont appliquées sur une couche opaque pour en modifier la couleur ou lui donner plus de profondeur. Ces techniques peuvent être associées.

Technique lente

La réalisation de cette œuvre s'est faite en plusieurs étapes selon les règles de la technique lente, qui nécessite de laisser sécher chaque couche avant d'appliquer la suivante.
Le travail sur fond sec permet de nuancer une couleur en la recouvrant d'une autre couleur sans qu'elles se mélangent.

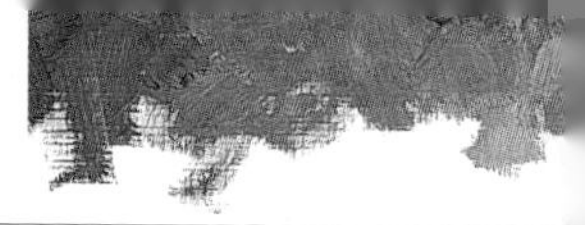

TECHNIQUE DU GLACIS

Si certains médiums picturaux sont limités au niveau des couleurs, du brillant ou de la texture, ce n'est pas le cas de l'huile. En outre, elle peut être travaillée tantôt en couches opaques, en empâtements créant des effets de matière, tantôt en subtils glacis ou fines couches transparentes laissant filtrer les couches inférieures.

Qu'est-ce qu'un glacis ?

Un glacis est une fine couche de couleur quasi transparente pouvant être appliquée sur certaines parties d'un tableau ou sur son ensemble. La peinture à l'huile, très diluée, forme alors un voile de couleur d'une grande légèreté. La technique du glacis s'exécute généralement sur une couleur opaque et sèche, mais peut être travaillée sur une base de peinture fraîche ; dans ce dernier cas, cependant, elle perd de sa luminosité. Le glacis modifie et intensifie le ton ou la teinte des couches inférieures, contribuant à créer une atmosphère et un subtil effet de profondeur.

Modification des valeurs tonales à partir de glacis.

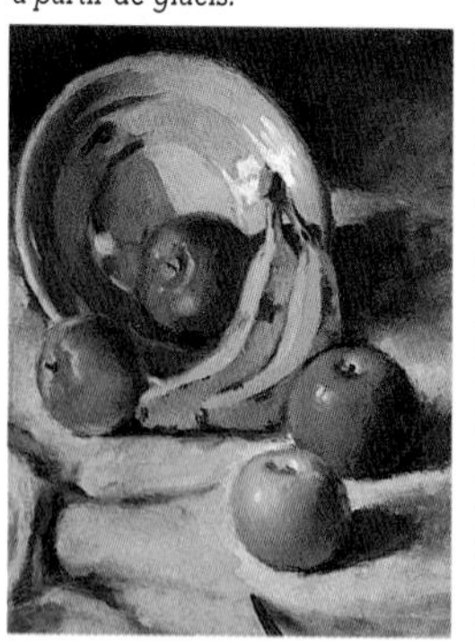

Procédé

Commencez par préparer un médium constitué à parts égales d'essence de térébenthine et d'huile. Le glacis est composé de ce médium, auquel on ajoute une quantité adéquate de pigment ou de peinture à l'huile ; vous l'obtiendrez en ajoutant au médium la quantité nécessaire de couleur à l'aide d'un pinceau fin pour parvenir progressivement au ton souhaité.

Une fois ce mélange effectué, appliquez-le avec un pinceau fin sur la partie de l'œuvre que vous souhaitez traiter ainsi. Vous devez toujours travailler sur une base claire, car étant donné sa transparence, le glacis ne produit pas le même effet sur une couleur sombre.

Application d'un glacis plus soutenu.

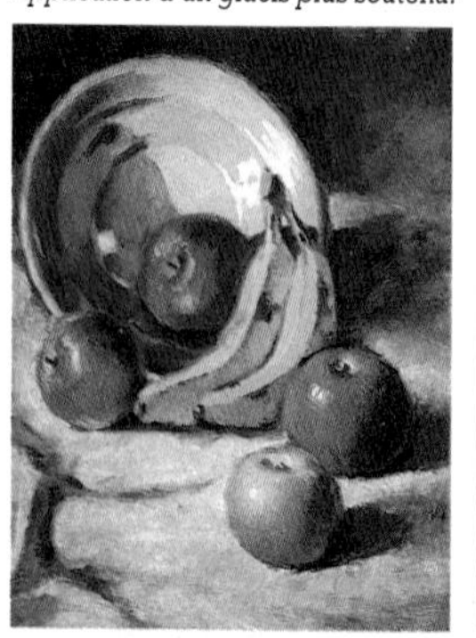

Coloration du médium

Les pigments sont toujours diluables dans le médium, mais certains possèdent une meilleure solubilité que d'autres. Ainsi,

Emploi traditionnel du glacis

Les ombres et carnations de cette œuvre ont été élaborées à base de glacis de couleurs. Les couches de glacis ont été appliquées selon la méthode de la peinture lente : l'artiste a superposé les couches en attendant chaque fois que la couche précédente soit sèche.

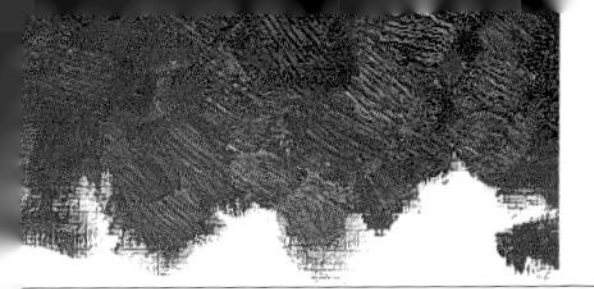

PRÉPARATION D'UN GLACIS

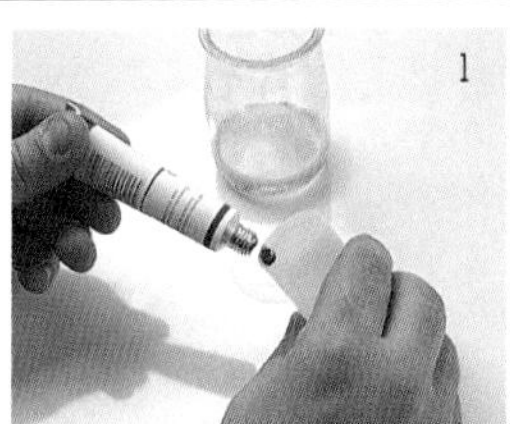

1. Ajoutez la couleur au médium.

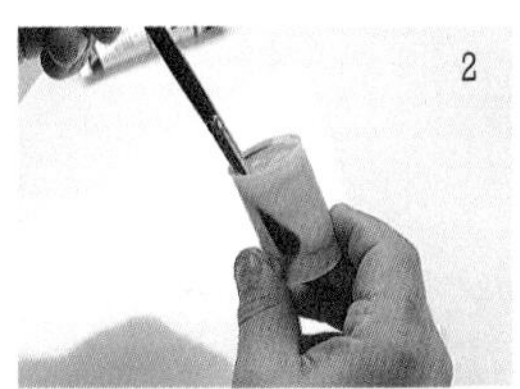

2. Remuez le mélange.

3. Résultat final.

vous pouvez être confronté, avec quelques rouges, à la formation de grumeaux de pigment sec au moment du mélange ; il faut éviter ce genre de problème qui pourrait gâcher irrémédiablement la finesse du travail du glacis.

Mieux vaut donc colorer le médium à l'aide de petites quantités de peinture à l'huile toute prête ; cette méthode offre une totale garantie étant donné que le pigment a déjà été dilué dans la peinture.

Faut-il employer une huile particulière ?

Il est parfois nécessaire d'appliquer des glacis si subtils que la moindre coloration jaunâtre conférée par l'huile à la couleur peut gâcher l'effet recherché. Si, en général, on utilise de l'huile de lin pour la préparation des couleurs, il est préférable d'employer de l'huile de noix pour celle des glacis. Cette huile offre, en effet, l'avantage d'être d'une totale transparence et permet d'obtenir d'excellents résultats.

Huile de noix.

Un travail de patience

L'élaboration d'une œuvre à partir de glacis est une technique qui s'apparente à celle de l'aquarelle, dans le sens où les couleurs sont composées par transparence. Mais contrairement à l'aquarelle, où le peintre cherche à créer ses couleurs à partir d'une première couche, la couleur et les effets de lumière sont obtenus dans ce cas par superposition de couches successives de peinture, en laissant toujours sécher la couche précédente.

Pour qu'un glacis soit lumineux, la couleur de base doit être claire ; à partir de cette base, l'artiste fonce progressivement la couleur et la nuance selon les résultats qu'il veut obtenir.

Inconvénients du siccatif au cobalt

L'un des remèdes auxquels ont recours beaucoup d'artistes pour accélérer le séchage des couches de glacis est l'addition de siccatif au cobalt à la peinture. Il faut toujours faire preuve de mesure dans l'emploi de ce siccatif, car non seulement il fait perdre à la couche picturale son brillant et son élasticité, mais il lui confère une tonalité froide.

Si vous tenez vraiment à accélérer le séchage des couches, ce qui n'est pas toujours recommandé, vous pouvez employer des vernis de finition fins et transparents, ou des médiums plus denses comme le médium siccatif flamand, qui avive les couleurs.

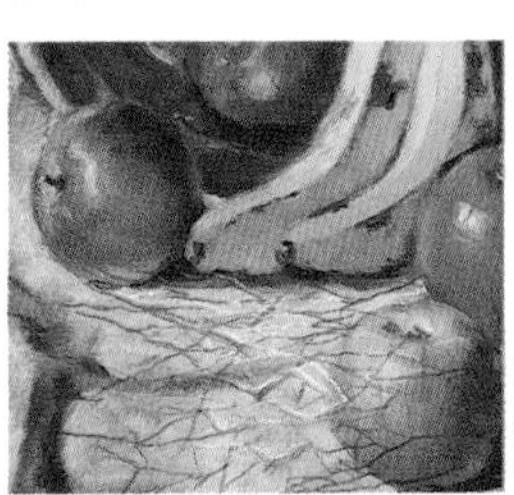

Couche picturale endommagée par un emploi excessif de siccatif.

Siccatif au cobalt.

POUR EN SAVOIR PLUS

- Qu'est-ce que l'huile ? **p. 6**
- Composition de la peinture à l'huile **p. 10**
- Peinture à l'huile, qualités et marques **p. 18**

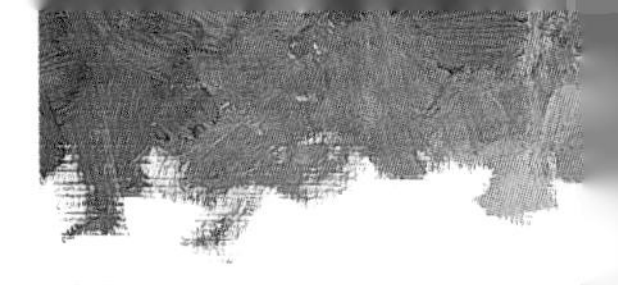

RELATION ENTRE FOND ET SUJET

L'un des points qui posent le plus de problèmes lors de l'élaboration d'une œuvre est précisément l'établissement d'une relation entre le fond et le sujet. Quand un artiste décide de représenter sur la toile un sujet donné et en dresse l'esquisse, il ne se contente pas de reproduire les traits essentiels du sujet mais également ceux des éléments qui l'environnent. Suivant l'objectif recherché, il accordera plus ou moins de valeur au fond.

Choix du sujet et définition des objectifs

Après avoir choisi un sujet et l'avoir longuement observé, en avoir étudié les lignes essentielles et la composition, déterminez vos principaux objectifs picturaux : couleurs, gamme harmonique, formes, type de touche, traitement du fond. Chaque élément du sujet devra avoir une relation directe avec l'ensemble.

Avoir une vue synthétique du sujet est le premier objectif à atteindre. Vous devez faire abstraction de tous les éléments superflus ou inutiles du sujet; ainsi, vous aurez une vision plus claire de la marche à suivre pour atteindre le résultat recherché.

En observant l'œuvre ci-dessous, on note que, pour donner de l'unité à l'ensemble, l'artiste a modifié le fond en rajoutant arbitrairement des effets de lumière.

La peinture à l'huile est un médium qui se prête bien aux essais, retouches ou rectifications. Dans ce dernier cas, le couteau est d'une grande utilité pour corriger des détails ou éliminer certains éléments.

Dans ce paysage, la relation entre les éléments ne se fait pas au niveau du dessin mais des couleurs.

Unité des éléments picturaux

Vous pouvez établir plusieurs types de relations entre les différents éléments du sujet, conçus en tant que formes indépendantes. Chaque forme établit avec les autres un rapport particulier, définissant le langage du tableau. D'un point de vue plastique, les éléments peuvent être mis en rapport par l'intermédiaire de la couleur, l'écueil à surmonter étant alors d'ordre purement chromatique : dans ce cas, il s'agit avant tout de tenir compte des influences réciproques qu'ont entre elles les couleurs pour parvenir à l'équilibre chromatique recherché.

Rapports chromatiques entre fond et sujet

Le sujet principal d'une œuvre est rarement saisi comme tel dans la réalité ; c'est l'artiste qui le perçoit et le représente sur la toile. S'il est clair que le sujet principal d'un portrait est le personnage qu'il met en scène, dans le cas du paysage, les possibilités seront multiples en fonction du choix de l'artiste de mettre tel ou tel élément en valeur. En général, dans le cas du paysage, il paraît plus simple de résoudre le rapport entre le fond et le sujet que lorsque l'élément principal est plus distinct, car il focalise alors beaucoup plus l'attention.

La couleur peut permettre de créer un lien entre fond et sujet, mais les interrelations entre les deux doivent alors faire l'objet d'un soin particulier. Le fond influe sur l'harmonie des couleurs et doit être intimement lié au sujet. Ce lien, facile à établir avec la pratique, apporte unité et cohérence à l'œuvre.

L'environnement acquiert parfois plus d'importance que le sujet.

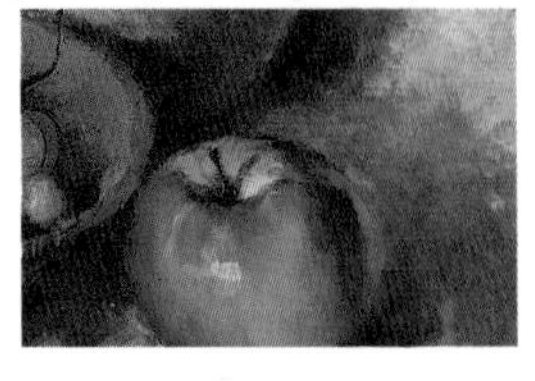

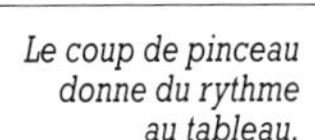

Le coup de pinceau donne du rythme au tableau.

Importance de la touche

Le fondu des couleurs et la netteté ou l'abstraction des objets représentés dépendent de la touche. Un moyen de faire ressortir la relation entre fond et sujet est de leur appliquer des traitements picturaux distincts ; un travail clair et brillant, exécuté à l'aide de coups de pinceau vigoureux, peut définir les zones les plus importantes de la composition, tandis que si l'on recourt à un travail plus monotone et distant, on accentue la différence entre le fond et le sujet principal.

Le dynamisme des touches, associé à la variété des pinceaux employés pour élaborer le tableau, permet d'établir différents modes d'expression en fonction des parties traitées ; si vous optez pour un traitement particulier quant au sujet principal, vous pouvez peindre le fond avec d'autres pinceaux, avec pour résultat une différenciation des plans par les textures.

Neutralité du fond

Une solution couramment adoptée pour mettre en valeur le sujet principal est de traiter le fond de façon neutre. Cela ne veut pas dire que le fond ne fait pas l'objet d'un bon travail pictural. Au contraire, comme le fond et le sujet seront intimement liés, les incidences chromatiques du fond modifieront les valeurs du sujet.

Définition des limites entre fond et sujet

La limite entre fond et sujet peut être plus ou moins évidente ; si vous optez pour l'emploi du contraste, il y aura automatiquement séparation des deux plans, même si leur chromatisme leur sert de lien. Cette solution consiste à dessiner d'une couleur sombre le contour du sujet que l'on veut mettre en relief. Cette délimitation faite, les traits du sujet sont esquissés au pinceau fin ; les couches ultérieures de peinture sont alors appliquées en tenant compte de cette ligne de contour, la recouvrant à certains endroits et la respectant à d'autres, sans jamais la masquer entièrement.

On procède de la même manière pour la peinture du fond, l'appliquant tout autour en travaillant irrégulièrement sur la ligne de contour, mais sans jamais la dépasser.

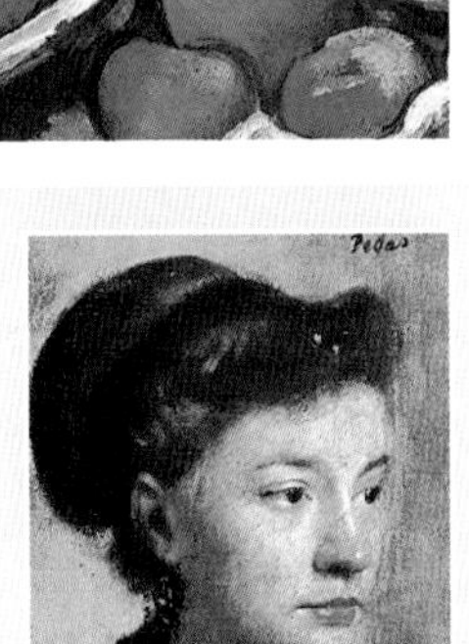

Intégration du portrait dans le tableau

La relation entre fond et sujet dans cette œuvre a été résolue à partir de l'harmonisation des couleurs.
Les couleurs froides du fond sont reprises pour nuancer les carnations, ce qui donne de la cohérence à l'ensemble et confère à l'œuvre un parfait équilibre.

Traité de façon neutre, le fond met en valeur le sujet principal.

POUR EN SAVOIR PLUS

- Réalisation des fonds **p. 72**
- Perspective, ombres et volumes **p. 86**
- Clair-obscur **p. 88**

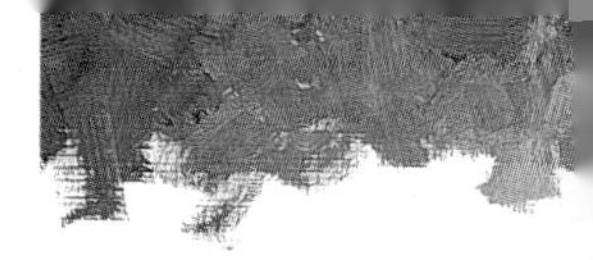

RÉALISATION DES FONDS

Une œuvre n'est pas seulement constituée de ce qui focalise notre attention, mais aussi de tout ce qui entoure ce centre d'intérêt. Le fond peut être traité de multiples façons, et faire ou non ressortir le sujet principal du tableau. Le fond est rarement la reproduction fidèle de la réalité ; il est en général le fruit de la vision subjective de l'artiste. Il ne s'agit pas de le négliger, car tout sujet s'insère dans un espace déterminé dont il faut tirer le meilleur parti.

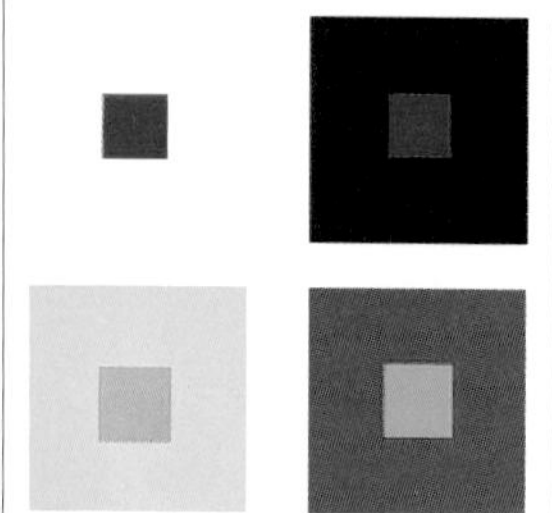

Contrastes entre sujet et fond.

Fond et portrait

La peinture à l'huile se prête à tous types de manipulations et de changements ; que ce soit sur un fond sec ou frais, cette propriété est particulièrement utile quand il s'agit d'élaborer un portrait car, selon le fond, celui-ci peut avoir tel ou tel caractère. Dans le portrait, on étudie la personnalité du personnage représenté ; le fond va donc fonctionner comme support et renfort du personnage peint. Quelle que soit la gamme harmonique choisie, la texture du fond peut être lisse ou présenter plus de relief. En choisissant un fond lisse, on peut mettre en valeur le personnage, en éclairant éventuellement ses contours. Le fond texturé peut jouer avec l'abstraction et le sentiment de travailler la peinture à même la toile en effectuant des mélanges comme sur la palette.

Le fond du portrait peut être aussi l'environnement du modèle. En ce cas, le travail de composition et de palette doit acquérir le degré pictural du sujet. En respectant toujours la gamme harmonique et en jouant avec la composition, on construit le fond en même temps qu'on peint le sujet.

Le sujet est mis en valeur par les ombres et les lumières du fond.

Fond neutre

Un fond neutre est une solution simple. En partant de la gamme harmonique choisie pour peindre le sujet, on sélectionne parmi les couleurs complémentaires celle qui, en respectant la dominante harmonique, interférera le moins avec le sujet. Par exemple, si vous travaillez avec une gamme de couleurs chaudes, vous pouvez réaliser un fond froid en le nuançant de certaines couleurs chaudes. Ainsi, un portrait dans lequel dominent le jaune de Naples, la terre de Sienne et le blanc peut avoir pour fond neutre le bleu céruléum, le jaune, une pointe de terre de Sienne et de blanc ; cela donnera un vert cassé en harmonie avec les couleurs chaudes du sujet.

Le sujet est mis en relief par un fond neutre.

Fond contrastant

Un fond contrastant peut accuser l'importance du sujet. À partir de couleurs complémentaires de celles employées pour peindre le sujet, vous pouvez établir une gamme chromatique monochrome. Cette association de couleurs complémentaires met encore plus en relief l'élément principal du tableau.

Le rythme du coup de pinceau est mis en valeur par le fond uniforme.

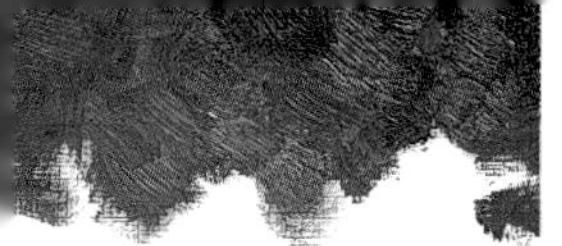

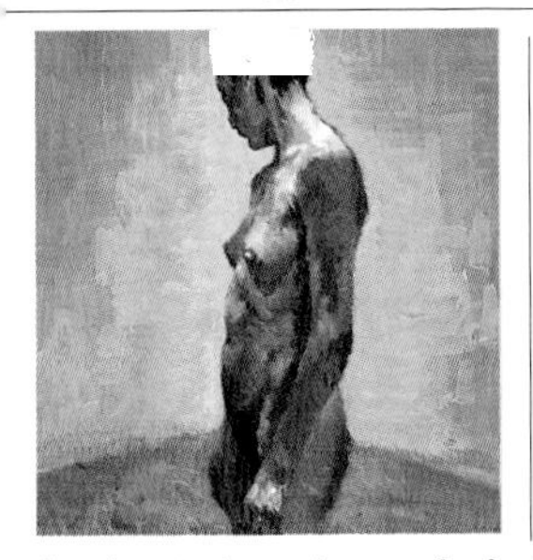

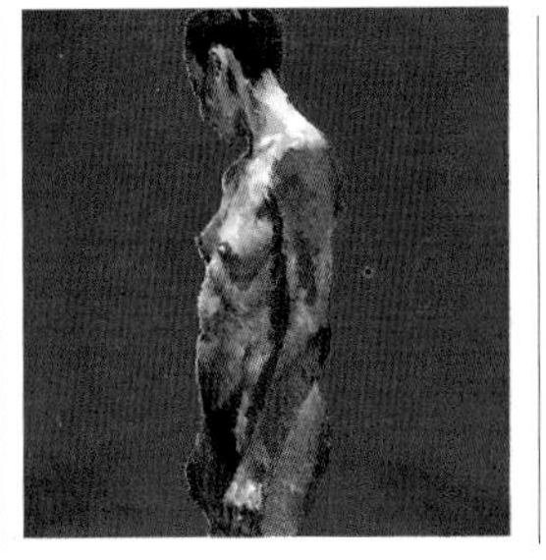

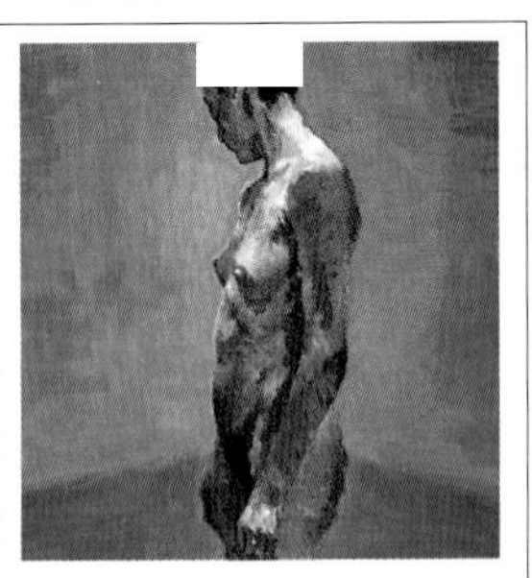

Le sujet est mis en valeur par des fonds de couleurs qui lui sont complémentaires.

Fond et nature morte

Une nature morte à l'huile peut être mise en valeur tant par sa composition que par son chromatisme, auquel cas le fond joue un rôle essentiel, car il fera paraître le sujet isolé ou enveloppé par un fond déterminé. Le fond peut être résolu à partir des ombres et des lumières ou bien en utilisant un élément qui donne de l'unité à l'œuvre, comme un drapé, un écran ou des fonds dégradés qui jouent avec la lumière.

Texture du fond

Le coup de pinceau variera en fonction de l'importance que l'on veut donner au fond. Certaines œuvres peuvent exiger des touches fondues donnant une texture parfaitement lisse : on utilise alors des pinceaux plats pour déposer et fondre sur la toile les couleurs préalablement mélangées sur la palette. D'autres œuvres requièrent un coup de pinceau libre et énergique qui confère relief et texture au fond. La peinture peut alors être mélangée sur la palette ou directement sur la toile, mais on ne l'applique pas sur la toile en la « léchant » minutieusement ; on la mélange grossièrement avec les couches de couleurs déjà appliquées.

Ici, l'harmonie chromatique est soulignée par un jeu de lumières.

Équilibre des masses et valeur des couleurs

Le fond d'un tableau reflète en partie la structure et la composition du sujet. Il est donc nécessaire d'étudier avec soin la façon dont se répartissent les tonalités et masses des couleurs.

L'équilibre du tableau englobe tous les éléments qui le composent : les formes en peinture se définissent à partir de la couleur, mais dans la structure d'un tableau, les couleurs sombres ont plus de poids que les couleurs claires, et suivant leurs proportions respectives, le tableau dégagera une impression plus ou moins affirmée de pesanteur ou de légèreté.

Botticelli et le fond imaginaire

Pendant la Renaissance, les artistes avaient tendance à mettre en valeur le sujet sur un fond paysagé neutre. Il s'agissait souvent de fonds imaginaires sans relation avec la scène principale. C'est en ce cas la gamme chromatique qui servait de lien principal entre fond et sujet.

Une touche chargée et bien marquée crée des effets de texture.

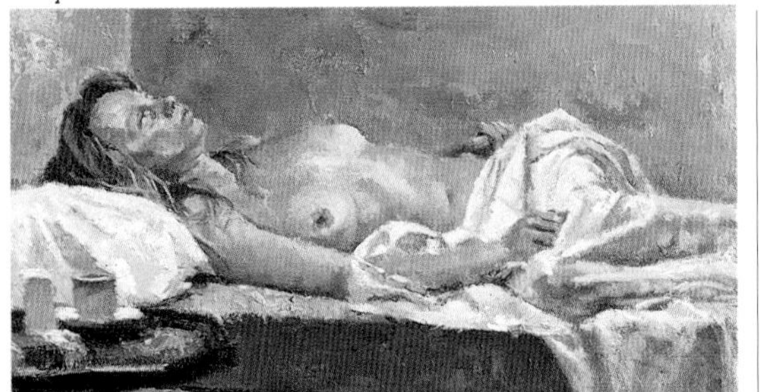

Les masses et valeurs des couleurs du fond devront donc être choisies en fonction de celles du sujet principal de façon à équilibrer l'ensemble.

POUR EN SAVOIR PLUS

- Technique du glacis **p. 68**
- Perspective, ombres et volumes **p. 86**
- Clair-obscur **p. 88**

EFFETS DE TEXTURE

L'huile permet d'obtenir des effets d'une grande diversité. Elle peut être modifiée à volonté en cours de travail ou présenter des aspects très différents selon la manière dont elle est appliquée au pinceau ou au couteau, en couches minces et lisses ou épaisses et texturées. Mais elle offre aussi l'avantage de conserver la même consistance et la même épaisseur après séchage, comme l'empreinte des outils employés, laissant ainsi une grande liberté d'expression.

L'huile possède une forte densité.

Qu'est-ce que la texture ?

La texture est l'aspect qu'une surface offre au regard et au toucher. D'un point de vue pictural, elle peut s'entendre comme la variation répétée de l'épaisseur de matière par rapport au support, ou bien comme la simulation au travers de la peinture d'une surface particulière.

Jusqu'à l'apparition de l'huile, on ne connaissait pas les effets de matière ou de texture. Les tableaux peints à l'huile étaient parfaitement lisses et les touches de pinceau à peine visibles. Avec Vélasquez et Rembrandt, le coup de pinceau a acquis une valeur propre. Depuis lors, la touche a été exploitée non seulement pour modeler les couleurs et les volumes du sujet, mais aussi pour en accentuer le relief.

Peinture d'une marine à l'huile.

La touche modèle la peinture.

Tout élément possède une texture particulière

Quand on évoque un objet par la pensée, on imagine non seulement ses formes et ses couleurs, mais aussi la texture qu'il présente au regard ou au toucher ; il faut donc chercher à traduire avec justesse tous ces aspects. Pour représenter une étendue de sable, par exemple, vous pouvez employer des couleurs de terre de façon à en reproduire tant la couleur que le modelé, en ajoutant quelques notes de volume pour donner plus de relief au tableau. Il acquerra ainsi plus de véracité, surtout si vous voulez que votre œuvre soit réaliste.

Définition de la texture au pinceau.

Divers effets de texture

Il existe diverses façons de créer des effets de matière. En peinture à l'huile, le médium lui-même joue un rôle essentiel, car il peut être employé en couches épaisses et modelé tant au couteau qu'au pinceau. Voici quelques-unes des possibilités :

- Déposer la peinture en une série de petits tas pour obtenir un effet conjuguant pointillisme et aspect plus ou moins granuleux.
- Appliquer des couches épaisses de peinture gardant la marque du pinceau ou du couteau en mélangeant les couleurs sur la toile.
- Recouvrir à larges coups de spatule quelques-unes des masses de couleurs définies par l'ébauche ou leur totalité.

Introduction de variations tonales pour nuancer la texture.

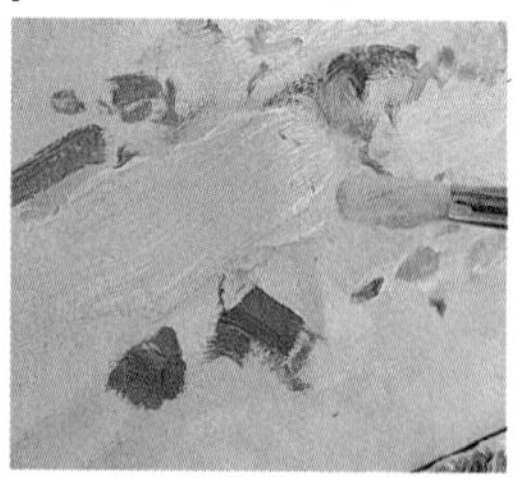

Touches libres pour la définition des reflets dans une nature morte.

Accentuation de la texture par modelage des formes au couteau.

Incorporation de matières

La peinture à l'huile ne permet pas seulement de créer des textures à partir de son propre modelage sur la toile. Vous pouvez aussi lui incorporer des matières étrangères en fines particules, à condition qu'elles ne soient pas oxydables. Les additifs de texture les plus courants sont la poudre de marbre, la poudre d'albâtre, le sable marin, la poudre de carborundum et l'oligiste (oxyde naturel de fer). Vous pouvez les trouver dans les magasins de fournitures pour artistes. Ils sont économiques et faciles à utiliser : il suffit de les incorporer à la peinture sur la palette et d'appliquer le mélange obtenu au pinceau ou au couteau suivant l'effet recherché.

Primauté du relief

Le vigoureux effet de matière produit par cette œuvre est dû à l'association de divers procédés : incorporation de poudre de marbre à la peinture à l'huile pour lui donner plus de corps, travail au couteau en couches épaisses pour modeler les principaux volumes et égaliser les plans, et emploi du pinceau pour l'accentuation ponctuelle des lignes.

La lumière, révélateur de la texture

La texture d'une peinture à l'huile implique une variation de sa surface, un relief plus ou moins prononcé ; en fait, les inégalités de surface acquièrent du volume grâce à l'éclairage. Plus la surface texturée est importante, plus les irrégularités seront évidentes.

En créant une texture particulière, il faut donc tenir compte du fait que c'est le contraste des ombres et des lumières qui fait plus ou moins ressortir les aspérités de la couche picturale.

Grattage.

Dégradé.

Frottis.

Fondu.

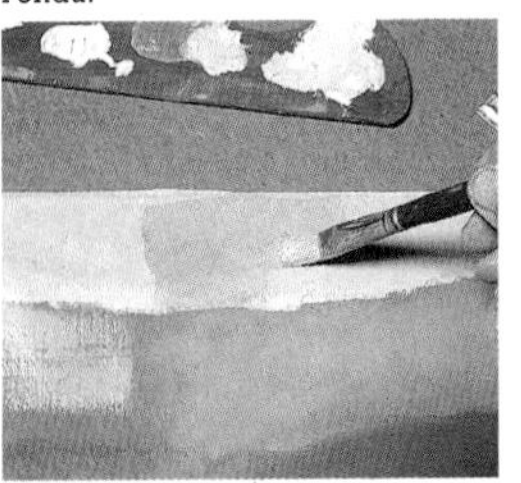

Effet jaspé.

Juxtaposition de touches libres.

POUR EN SAVOIR PLUS

• Additifs de texture **p. 76**
• Incorporation de matériaux **p. 78**

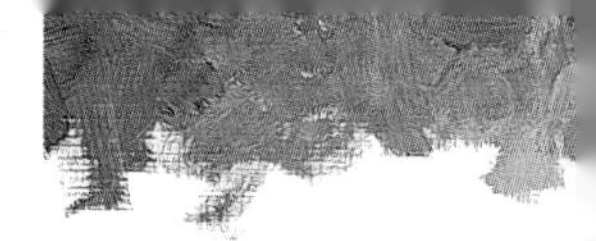

ADDITIFS DE TEXTURE

Les effets texturés obtenus par incorporation de matériaux à la peinture à l'huile sont aussi variés que ces matériaux eux-mêmes, chacun d'eux produisant un résultat différent selon sa densité et sa texture. Toutefois, ces additifs de texture ont tous un dénominateur commun : ils ne se dissolvent pas dans la peinture comme le pigment, mais sont enrobés par cette dernière, qui les emprisonne en séchant, altérant de façon définitive le relief de la couche picturale.

La poudre d'albâtre est fine et légère.

Incorporation de poudre d'albâtre à la peinture.

Poudre d'albâtre

Pouvant être impalpable comme du talc, cet additif de texture est le plus fin et le plus léger que l'on puisse trouver. La poudre d'albâtre est également disponible en divers calibres, de la poudre fine au sable grossier. Elle est néanmoins facile à broyer plus finement selon les besoins.

Quand elle se présente sous forme d'une poudre fine, elle peut être difficile à incorporer à la peinture à l'huile et il faut bien malaxer l'une et l'autre pour éviter de former des grumeaux. Elle permet d'obtenir une gamme étendue de textures suivant sa finesse : très fine, elle produit une légère texture, servant surtout à donner du corps à la peinture et à la rendre plus facile à modeler.

Employez-la en quantité mesurée pour ne pas saturer la peinture à l'huile au point de lui faire perdre son adhérence sur la toile. Si vous constatez une perte d'adhérence du mélange, vous pouvez y remédier en lui ajoutant la quantité de médium nécessaire.

Poudre de marbre

Elle est similaire à la poudre d'albâtre, mais beaucoup plus dure et plus pesante. Elle se présente aussi en différents calibres permettant d'obtenir des textures plus ou moins affirmées.

Parfois, dans les calibres les plus élevés, elle peut présenter des grains irréguliers, certains de la taille de petits cailloux. Son incorporation à la peinture à l'huile ne présente pas de difficulté, et son application sur la toile se fait au couteau.

En général, la poudre de marbre est plus grossière que celle d'albâtre, mais vous pouvez aussi la broyer plus finement à l'aide d'un pilon dans un mortier, voire sur une plaque métallique avec un marteau.

Texture par addition de matière.

Texture par modelage.

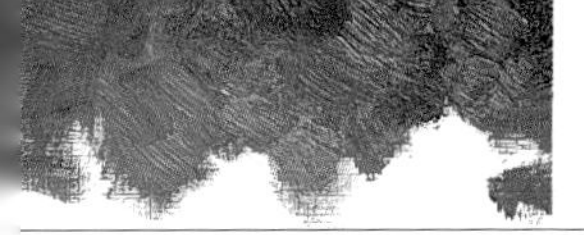

Ajoutez le sable dans la peinture jusqu'à l'obtention d'une masse homogène.

Sable marin

Le sable, d'une grande dureté, peut être plus ou moins fin et composé de minéraux très variés issus de la décomposition de roches diverses : granitiques, calcaires, etc.

N'utilisez pas un sable ramassé sur la plage sans l'avoir préalablement lavé et séché. Vous pouvez trouver dans le commerce des sables prêts à l'emploi.

Ils se mélangent facilement à la peinture à l'huile et présentent une texture régulière.

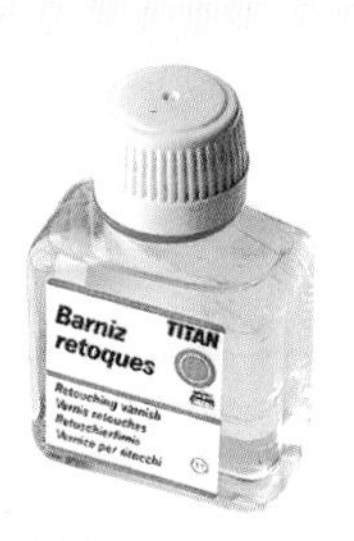

Addition de vernis

Une peinture généreusement chargée en additifs de texture, surtout s'ils sont dérivés du calcaire, a tendance à perdre partiellement son pouvoir liant et à moins adhérer au support. L'addition de vernis permet d'en renforcer la consistance et de rehausser le ton des couleurs après séchage.

Couteau et texture

Le travail au couteau est déterminant dans l'obtention de textures diverses. Le rôle du couteau est en effet loin d'être limité au « transport » de la peinture sur la toile : il permet de créer des effets de matière dans la peinture fraîche en la modelant à volonté.

Oligiste et autres matériaux

L'oligiste est un minerai de fer de texture régulière et difficilement oxydable qui se mélange bien à la peinture à l'huile, appliquée tant au pinceau qu'au couteau. L'oligiste ne convient pas aux forts empâtements.

La liste des matériaux permettant d'obtenir des textures intéressantes est si longue que nous ne pouvons en citer ici qu'un nombre restreint. Libre à chaque peintre d'expérimenter de nouveaux matériaux ou d'associer des matériaux connus. Cette conception ludique de la peinture est avant tout une démarche créative.

Le couteau est indispensable pour modeler la peinture renfermant une proportion importante d'additifs de texture.

POUR EN SAVOIR PLUS

- Techniques mixtes et règle du gras sur maigre **p. 54**
- Effets de texture **p. 74**

INCORPORATION DE MATÉRIAUX

L'incorporation à la peinture de charges minérales n'est pas le seul moyen de créer des effets de texture. Vous pouvez aller encore plus loin dans le domaine de la créativité en intégrant à l'œuvre objets trouvés, volumes modelés dans du plâtre, débris de vaisselle, etc. Ce type de travail peut être appliqué à tous les thèmes et tous les styles, ouvrant de vastes horizons et transformant l'œuvre en sujet d'expérimentation n'ayant pour seule limite que votre imagination.

Cartons et papiers peints à l'huile après avoir été apprêtés.

Apprêt de cartons et papiers avec une peinture acrylique teintée.

Découpage des papiers suivant la forme souhaitée.

Matière et texture

Il ne faut pas confondre matière et texture, bien que la relation entre les deux soit évidente. Vous pouvez créer une texture en modelant simplement la peinture ou en y laissant l'empreinte du pinceau ou du couteau, sans y incorporer de matière.

La matière que vous pouvez y incorporer doit toujours lui être étrangère et présenter un volume et une consistance suffisants pour être perçue comme un élément entrant dans la composition du tableau. Vous pouvez employer divers matériaux, à condition qu'ils ne soient pas oxydables : céramique, matière plastique, carton, bois, toile ou plâtre.

Rapports entre matériaux, huile et support

Vous pouvez intégrer n'importe quel élément à la peinture à l'huile, à condition toutefois qu'il ne soit ni gras ni oxydable. Ce type de travail implique un plus grand effort de composition que la peinture traditionnelle, car l'étude et la disposition des matériaux doivent être abordées de manière réfléchie.

Comme vous pouvez l'imaginer, tout matériau non élastique aura du mal à rester fixé sur une surface souple comme la toile et finira par s'en détacher. Les compositions incluant des matériaux ou objets étrangers à la peinture à l'huile (cartons, collages de papiers, etc.) doivent être élaborées sur des supports rigides, fermement assujetties à ces derniers (au moyen, par exemple, de clous ou d'agrafes).

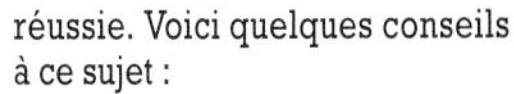

Impression préalable des matériaux

Cette œuvre associe peinture et collages. L'emploi de techniques mixtes, en l'occurrence l'association de matériaux étrangers, répond à certaines règles. L'huile, en tant que médium gras, aurait pu détériorer le carton et le papier inclus dans le tableau s'ils n'avaient été préalablement enduits d'une couche de latex.

Conditions de tenue des matériaux dans l'huile

Une fois sèche, la peinture à l'huile fonctionne comme un puissant adhésif quand elle est employée en quantité importante. En revanche, appliquée en couches fines et diluées, elle ne peut servir de liant à d'autres matériaux. Deux options s'offrent alors à vous : soit élaborer le tableau en posant d'épaisses couches de peinture, soit fixer les éléments au support à l'aide d'une préparation plastique ou de produits adhésifs, et n'exécuter la peinture qu'après avoir mis en place la structure de base.

Tout élément inclus dans une peinture à l'huile posée en couches épaisses reste « captif », à condition de posséder des points d'appui assez larges et plats.

Après collage des morceaux de carton ou de papier, vous pouvez appliquer la peinture, mais en respectant toujours la règle du gras sur maigre, c'est-à-dire peinture à l'huile sur peinture acrylique et non l'inverse.

Styles

Ce travail d'inclusion de matériaux à la peinture peut s'appliquer à tous les thèmes classiques déjà évoqués, ouvrant de nouveaux horizons au champ créatif. Dans les styles figuratifs, l'addition de matériaux peut être abordée avec humour : ainsi, les traits d'un portrait peuvent être remplacés par des objets – les yeux par des boutons, les oreilles par des morceaux de bouteilles en plastique…

Dans le domaine de l'abstraction, on peut axer son travail sur l'équilibre de la composition, que ce soit sur le plan de l'association de formes et de couleurs que sur celui de la création de plans de profondeur.

Techniques et associations

Les possibilités d'inclusion de matériaux dans la peinture à l'huile sont innombrables, mais cette technique, comme toute autre, exige une bonne connaissance des matériaux employés pour que leur association soit réussie. Voici quelques conseils à ce sujet :

• Les matériaux étrangers ne doivent pas être de nature grasse.

• Évitez d'inclure des métaux lourds ou oxydables.

• N'employez pas d'accélérateurs de séchage.

• Enduisez d'une impression acrylique papiers et cartons.

• N'employez que des supports rigides enduits (contreplaqué, isorel, carton entoilé…).

Collage

Un collage est une composition à base de morceaux de papier, découpés dans des journaux ou revues, ou de fragments de tissu. La technique mixte peinture-collage peut être abordée de deux façons : soit en fixant les découpages de papier ou tissu à la colle ou au latex avant de peindre, soit en les incluant au moment de peindre.

L'œuvre de Tapiés est un bon exemple d'association de matériaux à la peinture.

Les collages sont le moyen le plus simple d'inclure des matériaux dans une œuvre. Il est alors inutile d'appliquer la peinture en couches très épaisses. Cependant, les papiers et tissus fins doivent être préalablement enduits d'un produit d'impression les protégeant de l'action agressive de l'huile.

POUR EN SAVOIR PLUS

• Enduits acryliques, au latex et produits dérivés **p. 28**
• Techniques mixtes et règle du gras sur maigre **p. 54**
• Additifs de texture **p. 76**

COULEURS ET NUANCES DE LA PEAU

La peinture à l'huile offre une infinité de ressources pour la résolution des carnations. La maîtrise de la composition des couleurs permet d'obtenir des résultats surprenants. Il n'existe pas une couleur chair déterminée ou une formule particulière, les carnations variant selon l'éclairage et les couleurs environnantes. Le travail de la palette joue dans ce cas un rôle essentiel, le même sujet réunissant parfois une multitude de nuances, de transparences et de contrastes entre zones d'ombre et de lumière.

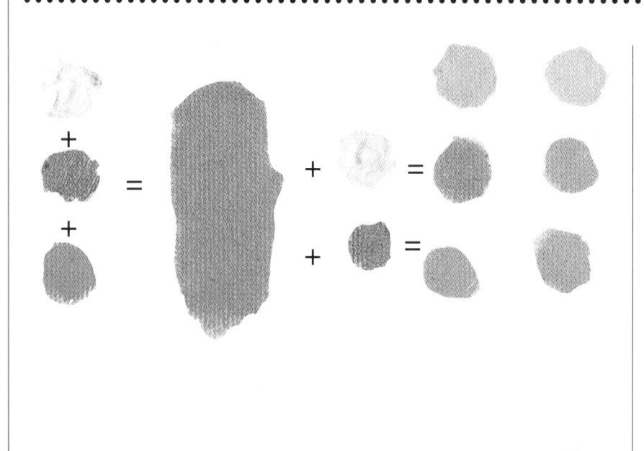

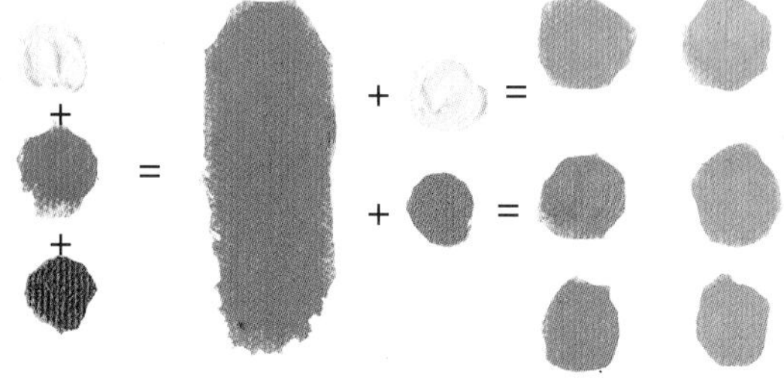

Palette de couleurs chair

Il n'existe pas une couleur chair déterminée, chaque personne ayant une couleur de peau distincte et tout modèle étant placé dans un contexte chromatique donné qui modifie cette couleur. Les couleurs environnantes ont une telle influence qu'il est même possible de les imaginer en observant un portrait réalisé sur fond blanc. En fait, les couleurs ne sont pas perçues isolément, mais en consonance avec celles qui les entourent. Une palette de couleurs chair peut inclure toutes les gammes harmoniques ; évitez toutefois d'employer du noir, qui a tendance à « salir » les teintes.

Différents exemples de carnations et variations tonales.

Toute la gamme chromatique peut intervenir dans la composition d'une carnation.

Peau claire

Comme il n'existe pas de formules pour la résolution des carnations, les tendances chromatiques peuvent être multiples.

Une peau claire ne peut toutefois être traitée de la même manière qu'une peau mate. Les nuances chromatiques devront alors faire ressortir la transparence de la peau. L'éclairage est décisif, il détermine la couleur à employer. À titre indicatif, la peau claire du portrait ci-contre a été peinte à base de jaune de Naples, rouge, blanc et bleu.

Palette à base de couleurs chair claires.

Pour obtenir cette peau claire, l'artiste a mélangé du jaune de Naples, du rouge, du blanc et du bleu.

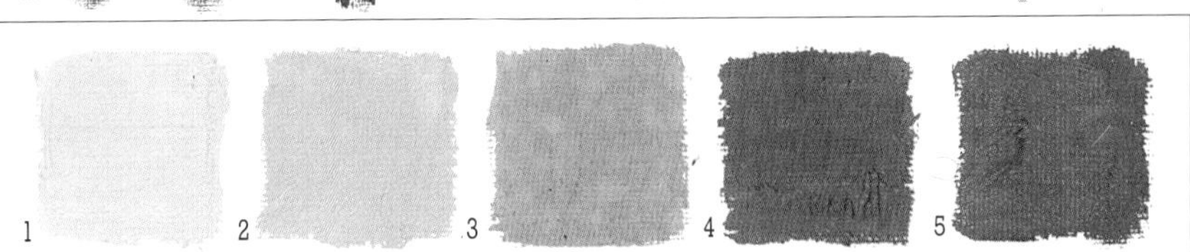

Couleurs chair à tendance chaude.

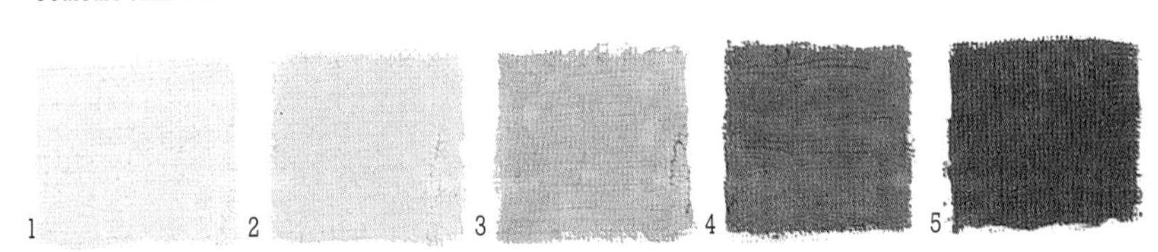

Couleurs chair à tendance froide.

Carnations à tendance chaude ou froide

Les carnations s'obtiennent à partir d'une série de couleurs couramment utilisées par les artistes. La gamme chromatique est assez vaste pour obtenir des couleurs chair à tendance chaude ou froide.

• Carnations à tendance chaude :

1. *Couleur chair lumineuse* : beaucoup de blanc, une pointe de jaune et un peu de carmin.
2. *Couleur chair rosée* : composition identique, mais avec plus de jaune et de carmin.
3. *Carnation ocre jaune* : jaune et blanc en parts égales, un peu de carmin et un peu de bleu.
4. *Terre de Sienne naturelle* : la couleur précédente, avec plus de carmin, de jaune et de bleu.
5. *Rouge anglais* : carmin et blanc avec du jaune.

• Couleurs chair à tendance froide :

1. *Reflets couleur chair* : blanc très légèrement teinté de jaune, carmin et bleu.
2. *Couleur chair froide* : blanc, un peu de jaune, un peu de carmin, jusqu'à l'obtention d'un orangé clair, et ajoutez progressivement du bleu.
3. *Couleur chair moyennement froide* : augmentez l'intensité de la couleur précédente, en ajoutant un peu plus de jaune et de bleu.
4. *Couleur chair sombre* : blanc, jaune et bleu jusqu'à l'obtention de vert clair, en ajoutant progressivement du jaune et du carmin.
5. *Couleur chair très sombre* : composez un mélange avec du carmin, du bleu et du blanc et ajoutez un peu de jaune. À la couleur terre de Sienne ainsi obtenue, ajoutez du blanc et du bleu.

Passage d'une couleur chair claire à une couleur chair mate par addition de bleu.

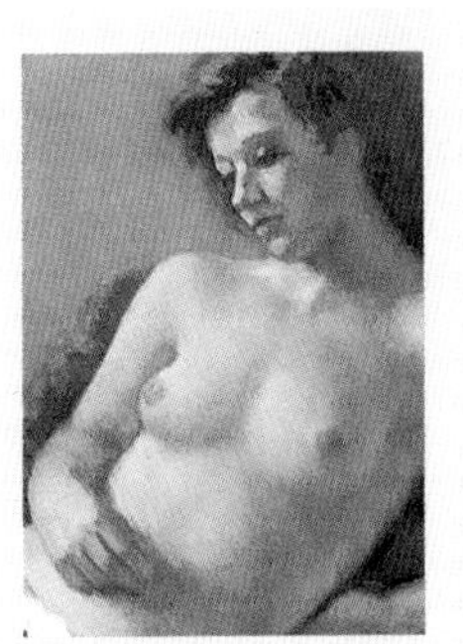

La couleur de la peau

La gamme chromatique froide de l'œuvre influence la carnation, traitée comme une peau mate par addition de terre de Sienne et de bleu.

Peau mate

Dans la gamme de couleurs des carnations mates, il faut, en fonction de l'éclairage et de l'environnement, augmenter en juste proportion les couleurs de terre et les bleus. Comme on l'a déjà souligné, ces indications ne sont qu'aléatoires, car une carnation mate peut être composée d'une multitude de couleurs. Il faut comparer les essais de couleurs et, à partir de là, introduire les nuances nécessaires.

Détail des rehauts d'une peau mate.

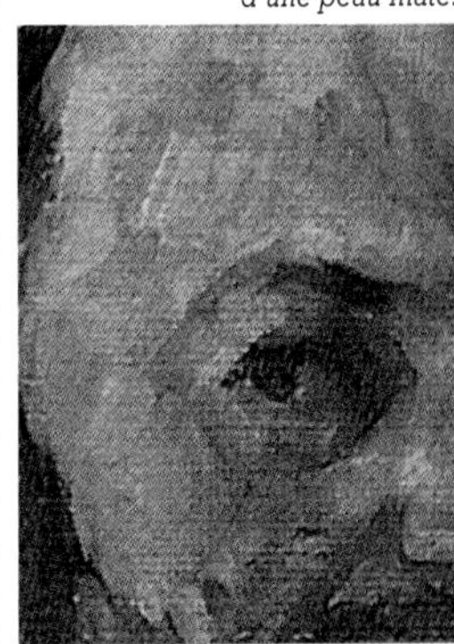

POUR EN SAVOIR PLUS

• Ombres et lumières de la peau **p. 82**
• Définition des traits : nez, yeux, bouche, oreilles **p. 84**

OMBRES ET LUMIÈRES DE LA PEAU

Nous avons abordé dans le chapitre précédent la composition de la palette pour l'obtention de carnations claires ou mates, à tendance chaude ou froide. En peinture figurative, l'emploi des couleurs dépend essentiellement de l'incidence de la lumière. La lumière peint ; de même qu'elle influence les couleurs, elle détermine les clairs et les ombres. La couleur de la peau n'est pas uniforme : la lumière en exalte ou en atténue irrégulièrement l'éclat.

Incidence de la lumière

Une couleur varie en fonction du modelé des volumes, des couleurs qui l'entourent et de l'angle d'éclairage. Il est difficile d'établir une règle en la matière, étant donné que ces trois conditions peuvent modifier complètement le chromatisme. Les volumes sont définis par les ombres et les lumières à partir d'une source lumineuse déterminée. Quelle que soit la gamme chromatique choisie, les points les plus lumineux du tableau seront rendus par les tons les plus clairs. Il est conseillé de réaliser sur la palette ou sur un morceau de carton une gradation chromatique à partir des associations éventuelles de couleurs que vous vous proposez d'utiliser.

La direction et l'intensité de la lumière modulent la couleur et les tons de la peau.

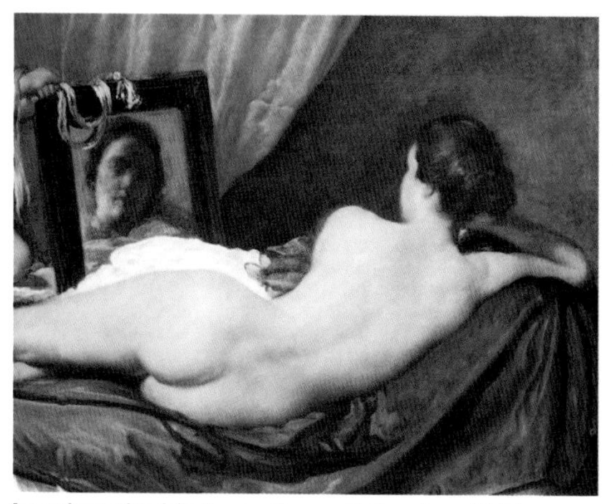

Les ombres et les clairs des carnations sont influencés par l'éclairage et les couleurs environnantes.

Emploi du blanc

Le blanc est la couleur la plus couramment utilisée en peinture à l'huile. Elle s'emploie rarement pure, mais aucune couleur ne peut rivaliser avec elle sur le plan de la luminosité. Sachant cela, et n'ignorant pas que les couleurs reflètent toujours celles qui les environnent, vous emploierez, pour rendre les reflets de la peau, du blanc nuancé par la gamme de couleurs retenue pour l'élaboration de l'œuvre.

A partir de l'harmonie chromatique choisie, vous déterminerez les points les plus lumineux du sujet, quelle que soit l'intensité de son éclairage : même dans la pénombre, un modèle possède toujours des zones de clarté maximale.

Nuances et rehauts

Le choix d'une gamme chromatique n'exclut pas l'emploi modéré de couleurs d'une autre gamme. La peau n'est pas une surface lisse et monochrome, elle présente des nuances de couleurs différentes comme des terres, des bleus ou des verts.

Les nuances situent le modèle dans son environnement et définissent les différents changements de plan. Dans les zones les plus éclairées, les couleurs sont plus claires et éclatantes que dans les zones moins exposées à la lumière. La proportion de bleus et de terres d'ombre doit alors être restreinte dans la composition des mélanges, celle de blanc, de rouges et d'ocres être en revanche augmentée.

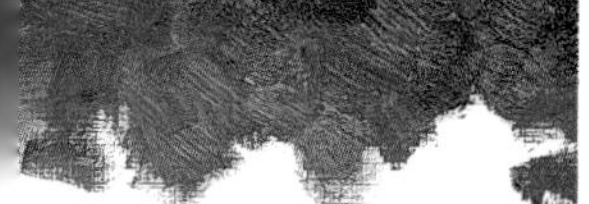

La teinte de la peau peut être nuancée de couleurs froides (bleus, verts) et chaudes.

Parfois, les variations de ton sont fortement marquées de couleurs froides.

Peinture à l'huile et lumière artificielle

Les conditions d'éclairage affectent non seulement les couleurs du sujet, mais en modifient les ombres et les lumières. L'éclairage artificiel peut être très intéressant pour obtenir certains effets, notamment pour faciliter la compréhension d'une gamme chromatique déterminée, car il peut la rendre froide ou chaude, accentuer les ombres ou au contraire adoucir les contours. La traduction de l'éclairage sur la toile peut se réaliser de différentes manières : en fondant les couleurs sur la toile, de sorte que la transition de l'ombre à la lumière soit à peine perceptible, ou bien, si l'éclairage est dur, provoquer de forts contrastes allant jusqu'à la disparition de la couleur.

La lumière artificielle accentue les contrastes.

Luminosité des carnations chez Vélasquez

Les reflets de la lumière sur la peau peuvent être traduits de bien des façons suivant l'éclairage et le style de peinture. Dans cette œuvre, le rendu des carnations a été traité de façon rapide et intuitive. L'artiste a joué sur le contraste entre le fond sombre et la peau claire, qu'il a traitée en tons pastel pour en faire ressortir toute la finesse.

Reflets en lumière naturelle

La lumière naturelle modèle la peau et les formes de façon différente que la lumière artificielle : la clarté et les couleurs dépendent de la situation du sujet par rapport à la source lumineuse. Les contrastes entre les ombres et les lumières dépendent de l'heure de la journée et des conditions atmosphériques. Les clairs sont de toute façon moins accentués que dans le cas d'un éclairage artificiel. Le fondu des couleurs est plus doux, comme le dégradé des ombres. La peau est moins influencée par les couleurs environnantes, à moins qu'elle ne se trouve très proche de couleurs marquées.

L'huile offre des possibilités presque infinies de dégradés de tons et de fondus de couleurs. La moindre addition de couleur modifie l'aspect de la zone peinte.

POUR EN SAVOIR PLUS

- Fondu des couleurs **p. 62**
- Technique du glacis **p. 68**
- Couleurs et nuances de la peau **p. 80**

DÉFINITION DES TRAITS : NEZ, YEUX, BOUCHE, OREILLES

Vous pouvez, avec l'huile, traiter un sujet de multiples façons, mais dans le cas du portrait, il faut avant tout savoir bien définir les volumes et respecter la répartition équilibrée des traits. Ce travail est facilité par la possibilité qu'offre la peinture à l'huile d'être à tout moment corrigée.

Les traits peuvent être aussi représentés en «raccourci».

Volume et perspective : le raccourci

La représentation sur la surface plane du tableau de la réalité en trois dimensions pose un certain nombre de problèmes au peintre, notamment quand il est obligé d'opérer des réductions dans la répartition des traits d'un visage pour rendre une perspective en raccourci.

Le modelé des volumes des traits d'un visage est traduit en peinture par le contraste entre ombres et lumières, c'est-à-dire à partir d'une échelle de valeurs tonales.

Dès l'ébauche de l'œuvre, il faut observer, sans entrer dans les détails, les volumes du visage à partir de :

• L'étude de la gradation des tons.

• La définition des traits et des proportions.

• Une approximation du modelé.

Esquisse de construction

L'esquisse est la base de départ de toute œuvre picturale. De la bonne construction du sujet dépend la ressemblance avec la réalité, notamment dans l'exécution d'un portrait. Ce dessin doit restituer avec fidélité les principaux traits du visage, dans de justes proportions.

Modelé des volumes par dégradés et contrastes

Les traits diffèrent selon les personnes ; avec l'ample gradation tonale que permet la peinture à l'huile, vous pouvez réaliser une étude assez précise du modelé de ces traits. En premier lieu, ébauchez d'un aplat de couleur monochrome la forme de la tête. Puis définissez à l'aide d'une couleur plus soutenue les différents plans du visage en situant les principaux traits. Façonnez le volume des différents traits par de subtils dégradés de couleurs. Pour terminer, affinez le modelé en accentuant les parties les plus lumineuses et les parties les plus obscures du visage, du cou et des mains du personnage.

Nez

Le nez est l'élément le plus proéminent du visage. Si la tête est réduite à ses principaux traits, de façon géométrique, on peut maîtriser beaucoup plus facilement sa représentation en réduction selon son angle d'inclinaison et d'orientation.

La longueur du nez s'estime en fonction de celle du visage et sa largeur en fonction de la distance entre les ailes du nez et les yeux. Les dimensions et la direction du coup de pinceau déterminent aussi la forme du nez : utilisez un pinceau large pour faire ressortir un nez large, et un pinceau court et pointu pour mettre en valeur la finesse d'une arête ou les points les plus lumineux du nez.

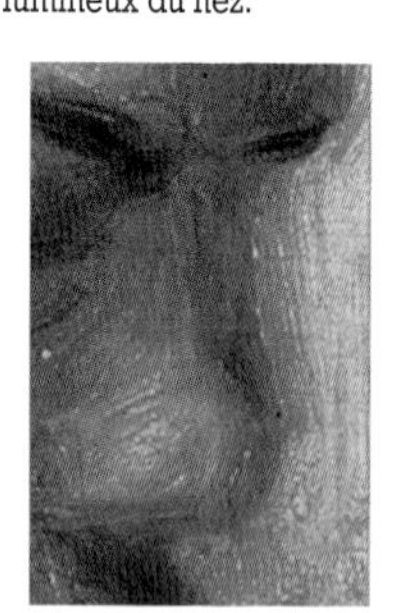

Le modelé du volume du nez dépend de l'orientation de la tête et de son degré d'inclinaison.

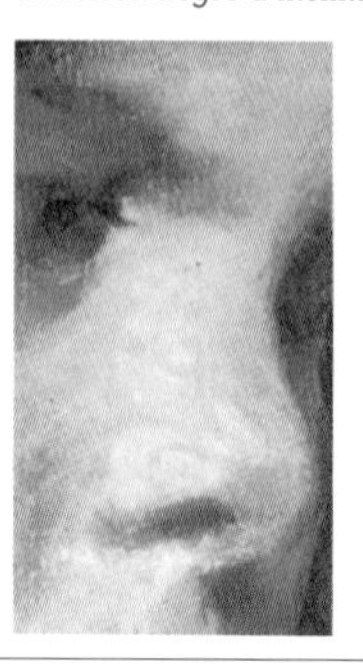

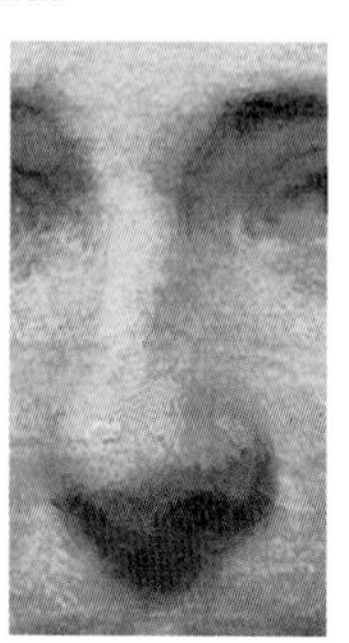

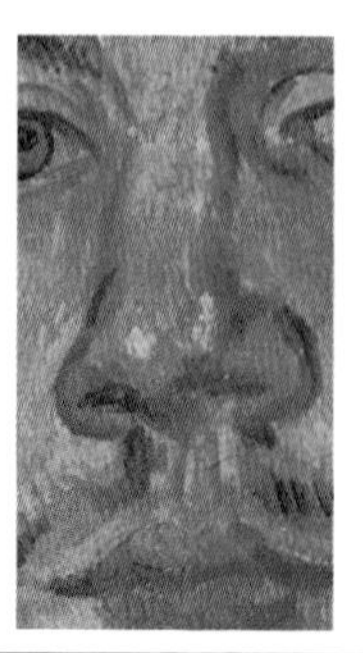

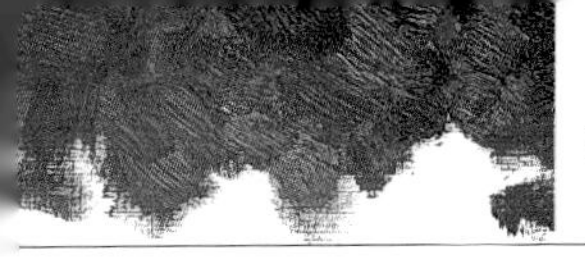

Le relief étant défini par le contraste entre ombres et lumières, en général le volume du nez est défini par l'ombre qu'il projette sur le visage.

Différentes positions de la tête permettant d'étudier les traits.

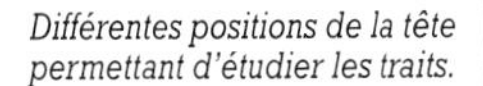

Yeux et sourcils

Les yeux ne sont pas des éléments proéminents : ils sont légèrement enfoncés dans le visage et sous la proéminence des arcades sourcilières.

La résolution picturale des yeux dépend de leur situation dans les cavités oculaires ; leur enfoncement implique un assombrissement entre la cloison nasale et la paupière. Par ailleurs, une question importante est l'écart entre la courbure de la paupière supérieure et celle de la paupière inférieure.

Le traitement pictural des yeux est souvent quasi graphique, avec un changement de tonalité entre les points unissant chacune des parties de l'œil : sourcils, paupières, œil.

Oreilles

Les oreilles peuvent être résolues de façon ponctuelle et détaillée ou n'être qu'ébauchées. Plus que le dessin de l'oreille elle-même, il convient de faire ressortir sa forme et sa position par rapport à l'ensemble de la tête. Les plis du pavillon peuvent être rendus à l'aide d'une subtile variation tonale et de coups de pinceau fins et précis.

L'inclinaison des oreilles varie en fonction de celle de la tête.

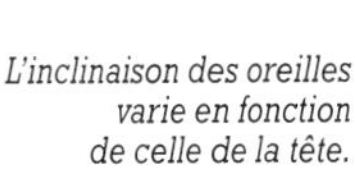

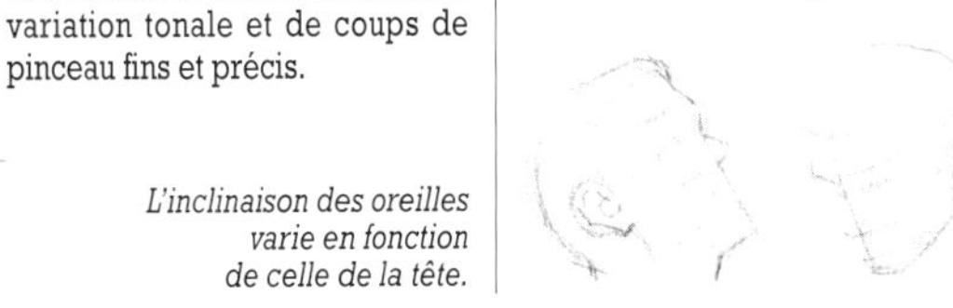

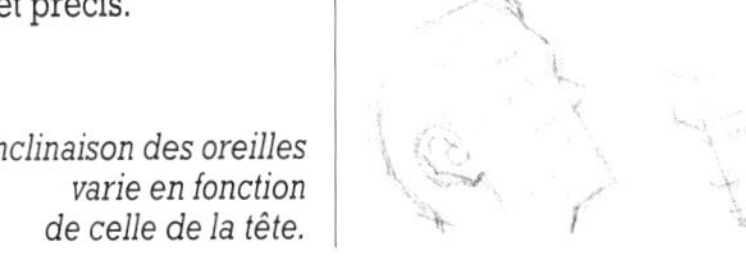

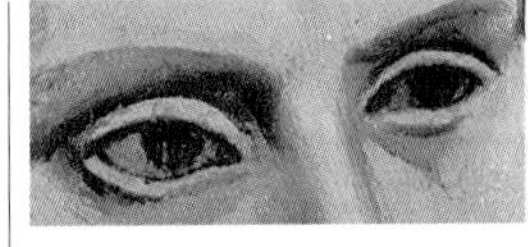

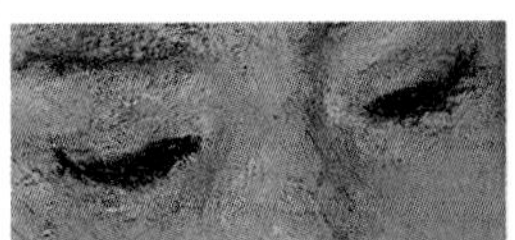

Bouche

Il faut situer la bouche en fonction de la distance qui la sépare du nez. L'ombre que produit le nez sur la lèvre supérieure marque le plan de la lèvre par rapport au visage. D'un point de vue pictural, la bouche est définie par le changement de tonalité produit par l'ombre des lèvres. Celles-ci peuvent ou non être mises en relief dans le visage, selon l'angle de vue, qui en déterminera aussi la forme et la largeur.

La position de la bouche varie suivant l'angle de vue.

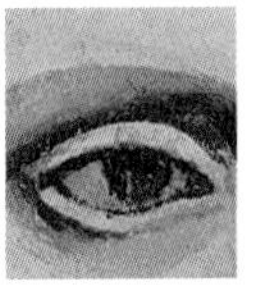

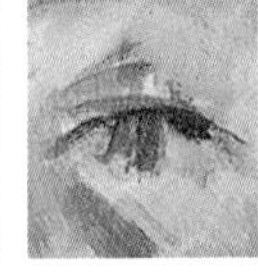

Les paupières peuvent être diversement interprétées.

Le style libre de Goya

Goya excelle dans la peinture des traits et des attitudes corporelles. Par la liberté de son style, proche de l'impressionnisme, il a su saisir sur le vif le caractère même des personnages qu'il a peints : leurs traits, évoqués par des touches d'une grande spontanéité, sont mis en relief par d'habiles clairs-obscurs.

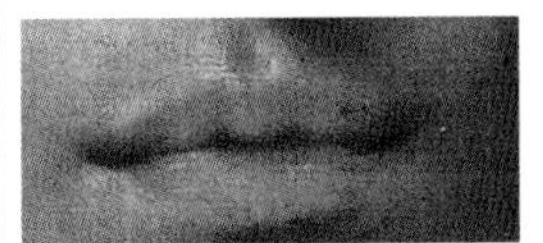

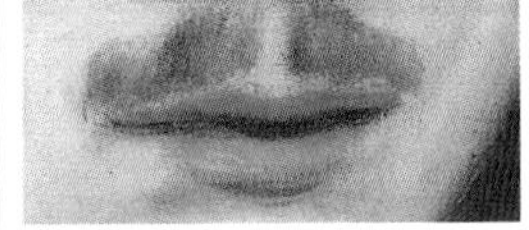

POUR EN SAVOIR PLUS

• Couleurs et nuances de la peau **p. 80**

PERSPECTIVE, OMBRES ET VOLUMES

Un tableau peut être divisé en plans de profondeur suivant la couleur employée et l'intensité de cette dernière. Ceci, joint aux règles de la perspective, permet de représenter des volumes. Par le jeu des ombres et des lumières, le peintre peut modeler le volume des éléments composant son sujet et créer une illusion d'espace.

Plus les plans sont éloignés, plus leurs teintes tendent vers un bleu de plus en plus clair.

Effet de profondeur

Dans la réalité, nous ne percevons pas les couleurs de la même manière selon qu'elles sont proches ou éloignées. Ainsi, plus une montagne est située dans le lointain, plus sa teinte a tendance à devenir bleutée ; ce phénomène s'explique par le filtrage des couleurs par l'atmosphère. On comprend donc que sur la surface plane du tableau, on peut représenter l'illusion d'espace à partir de la superposition de plans de couleurs différentes. Vous pouvez faire l'essai suivant : dessinez sur une feuille un triangle tronqué et réalisez à l'intérieur un dégradé de couleurs en partant d'une couleur de terre chaude, à laquelle vous ajouterez progressivement du blanc et du bleu tout en diminuant la proportion de terre. Vous pourrez ainsi constater comment la couleur agit pour établir une perspective.

Effet de perspective par superposition de plans.

Plans et couleur

L'association de la couleur et de la superposition de plans permet de créer l'illusion de la profondeur, même en l'absence de toute perspective linéaire.

Toutefois, quand cela s'avère nécessaire, il faut appliquer les règles de la perspective pour apporter plus de vraisemblance à la représentation du sujet. En définissant un point dans l'espace situé sur la ligne d'horizon, tracez une série de lignes imaginaires convergeant vers ce point (point de fuite).

Les éléments du sujet sont alors répartis dans l'espace en fonction de ces lignes imaginaires qui définissent un indice de réduction correspondant à leur éloignement.

Angle d'éclairage

La distance entre le premier plan et l'arrière-plan d'un sujet peut être plus ou moins importante, et les éléments qui le composent peuvent être ordonnés à la fois selon la perspective linéaire et selon des plans successifs plus ou moins nombreux. L'effet de profondeur peut aussi être accentué par le modelé des volumes, l'intensité des contrastes entre

L'éclairage influence couleurs, tons et volumes.

ombres et lumières, selon l'angle d'éclairage. Un éclairage par le haut tend à écraser les couleurs et à éliminer les ombres ; par contre, un éclairage latéral augmente les contrastes et enrichit la gamme de couleurs. L'effet de contraste produit par les ombres et les lumières, ou *clair-obscur,* accroît le réalisme de l'œuvre et lui confère une intensité dramatique.

Palette des ombres

Les ombres à représenter sont liées à l'éclairage du sujet ; plus le flux lumineux est fort et concentré sur le sujet, plus les ombres sont intenses et profondes.

Le contre-jour chez Daumier

Honoré Daumier a parfaitement réussi ce contre-jour, en ayant recours à un fort contraste entre les valeurs des gammes chromatiques employées pour définir les plans du tableau : la juxtaposition d'une couleur très lumineuse et d'une couleur sombre crée visuellement le contre-jour.

H. Daumier, La Blanchisseuse.

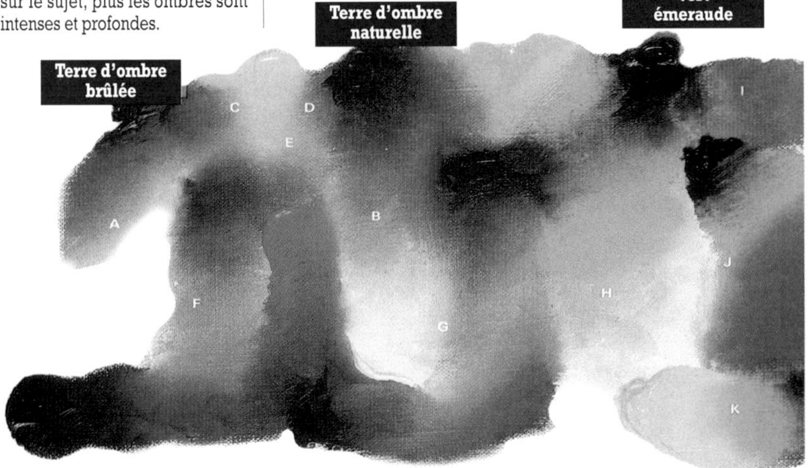

Variations chromatiques dans les mélanges :
A = Terre d'ombre brûlée et blanc
B = Terre d'ombre naturelle et blanc
C = Jaune citron chaud
D = Jaune citron froid
E = Jaune citron verdâtre
F = Terre additionnée de bleu et blanc
G = Terre d'ombre naturelle teintée de blanc, vert et bleu
H = Vert émeraude et blanc
I = Vert et ocre
J = Bleu outremer mélangé à du vert et du blanc
K = Jaune et vert

Il n'existe pas de gamme chromatique déterminée pour traduire les ombres, mais les couleurs employées par ailleurs dans le tableau entrent toujours dans leur composition.

Il convient en effet, pour conserver une certaine richesse au niveau des couleurs, de ne pas réduire la gamme tonale des ombres à des valeurs proches du noir, mais d'intervenir avec des tons de la gamme des couleurs froides, chaudes ou rabattues, en associant des teintes qui contrastent avec les couleurs employées pour définir les parties les plus éclairées du sujet.

Zone lumineuse et zone sombre

Dans un sujet vu en contre-jour, la lumière de l'arrière-plan découpe les formes du premier plan. Le contraste entre ombre et lumière est alors radical, sans plans intermédiaires. L'effet du clair-obscur associé à l'étude de la perspective crée une illusion de profondeur et de dynamisme. Pour réussir un contre-jour, il faut que la délimitation entre couleur claire et couleur sombre soit d'une grande netteté, peindre un élément sombre se découpant sur un fond très lumineux, mais en modelant les volumes. Un objet sphérique fortement éclairé projette une ombre accentuée, mais dans sa partie la plus sombre, en contact avec l'ombre projetée, on peut observer une zone plus claire définissant son contour. N'abusez pas du blanc pour peindre les zones les plus lumineuses du sujet : les couleurs employées doivent être issues de gradations tonales effectuées sur la palette.

POUR EN SAVOIR PLUS

- Relation entre fond et sujet **p. 70**
- Réalisation des fonds **p. 72**
- Clair-obscur **p. 88**

CLAIR-OBSCUR

La superposition de plans et l'alternance des ombres et des lumières créent une illusion d'espace très intense, aux connotations quasi théâtrales. Le clair-obscur accentue le lien entre fond et sujet, celui-ci se resserrant parfois au point de faire perdre de leur prépondérance aux principaux éléments du sujet et de renforcer ainsi l'unité de l'œuvre.

La gradation tonale met en relief les zones les plus lumineuses.

Une bonne perception des valeurs est essentielle dans l'élaboration des couleurs d'un clair-obscur.

Huile et monochromie

La peinture à l'huile permet d'atteindre un niveau d'élaboration élevé dans le travail monochrome ou quasi monochrome, où la gradation tonale joue un rôle plus essentiel que la couleur.

À l'instar d'une étude en camaïeu gris, la synthèse des couleurs révèle la gradation des tons. Elle permet d'établir une échelle plus ou moins étendue de valeurs, allant des zones les plus éclairées du sujet aux parties les plus sombres.

Recherche des valeurs tonales sur la palette

Le recours à la monochromie n'est pas une condition nécessaire à l'élaboration d'un clair-obscur ; cependant, pour l'ébauche initiale du tableau, il est conseillé de commencer par définir les valeurs tonales à partir d'une gamme de couleurs restreinte. Pour parvenir à une estimation correcte des valeurs et les traduire sur la toile, il est souhaitable de réunir sur la palette toutes les références chromatiques du sujet et d'étudier la gradation tonale de chacune des couleurs concernées.

Ombres et harmonie chromatique

SI vous choisissez d'effectuer un travail en clair-obscur, vous devez tenir compte de l'harmonie chromatique du sujet. Chaque type de lumière donne une coloration particulière aux objets ou personnages, qui se trouve reflétée par les ombres qu'ils projettent.

Ces deux versions d'un même thème montrent comment le contraste peut être accentué par intensification des ombres.

Évaluation des couleurs du sujet et de leurs gradations tonales respectives.

Exaltation de la lumière

L'intensité du contraste entre zones d'ombre et de lumière est déterminée par l'amplitude de la différence entre leurs valeurs respectives. Plus les deux couleurs posées côte à côte seront respectivement claire et foncée, plus leur opposition sera saisissante.

Quelle que soit la couleur retenue comme devant être la plus lumineuse du tableau, il faudra faire en sorte que les autres tonalités du tableau soient toujours plus soutenues, de façon à

maintenir une gradation d'intensité lumineuse. Si, par exemple, la teinte la plus lumineuse du sujet est un ocre foncé, la gradation des tons des autres couleurs devra être effectuée en fonction de cette couleur, de même que la définition des différentes nuances des ombres.

Jeu des contrastes

L'opposition radicale entre tons clairs et sombres suivant la logique du sujet crée naturellement l'illusion du relief. Ce contraste doit être d'autant plus accentué que l'on veut faire ressortir un élément particulier. La composition d'un clair-obscur dépend tout autant du contraste entre les principales masses de couleurs que de la gradation des tons dans les zones les plus éclairées.

Jeu de contrastes et gradation tonale.

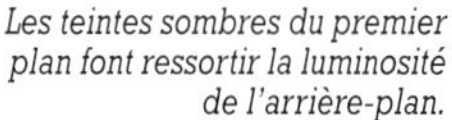

Les teintes sombres du premier plan font ressortir la luminosité de l'arrière-plan.

Les tons les plus clairs déterminent les parties les plus éclairées.

La perspective dans le clair-obscur chez Rembrandt

La résolution de la perspective à partir des différents points lumineux est ici parfaitement illustrée. Les personnages les plus importants sont ceux qui bénéficient de l'éclairage le plus éclatant. En revanche, suivant une composition en diagonale, les personnages de l'arrière-plan reçoivent moins de lumière et les couleurs gagnent en intérêt.

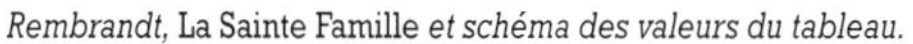

Rembrandt, La Sainte Famille *et schéma des valeurs du tableau.*

Centres d'intérêt et perspective

Dans le cas du clair-obscur, la perspective des formes ne dépend pas seulement de la construction graphique du tableau, étant donné que les ombres et les lumières élaborées à partir de l'esquisse dessinée vont jouer un rôle si prédominant que souvent la superposition de plans par contraste de valeurs se substituera à la perspective linéaire. Les centres d'intérêt sont mis en relief par l'éclairage, mais il faut tenir compte du fait que ces points lumineux, dans le cadre de la perspective, doivent être réduits tant en taille qu'en éclat, suivant une gradation logique.

POUR EN SAVOIR PLUS

- Relation entre fond et sujet **p. 70**
- Réalisation des fonds **p. 72**
- Perspective, ombres et volumes **p. 86**

REPENTIRS OU RETOUCHES

Une des propriétés les plus séduisantes de la peinture à l'huile est qu'elle autorise les corrections ou retouches à tout stade de l'élaboration de l'œuvre. La définition des couleurs et des valeurs en est ainsi facilitée.

Le couteau permet de racler la couche de peinture.

Rectification de volumes à l'aide de glacis.

Repentirs ou corrections en cours de travail

En peinture à l'huile, le repentir requiert une bonne connaissance de la technique et du comportement des couleurs, car il est effectué en cours de travail, sur une peinture en général encore fraîche. Ainsi, la nouvelle couche de peinture doit toujours être plus grasse que la couche antérieure, conformément à la règle du gras sur maigre. Vous pouvez intervenir directement sur la zone concernée en mélangeant les couleurs et en remodelant les formes. Ou encore racler la peinture au couteau, si elle a été étendue en couche épaisse, pour mettre à nu la toile et repartir ainsi de zéro.

Opacité et transparence de l'huile

La peinture à l'huile peut être travaillée en couches épaisses et opaques ou en couches fines et transparentes. Ces qualités facilitent le travail de correction de l'œuvre quand il s'agit de rectifier des erreurs de teinte ou de forme. Une couleur déterminée peut être modifiée à l'aide de glacis d'une teinte plus chaude ou plus froide, sans qu'il soit nécessaire de la masquer par une couche de peinture opaque.

Il est ainsi possible de corriger les éléments qui nuisent à l'équilibre de la composition ou à l'harmonie des tons ou des couleurs.

Interventions sur une œuvre achevée

Ce genre de retouche, faite après achèvement de l'œuvre, s'effectue donc sur une surface picturale entièrement sèche et parfois recouverte d'une couche de vernis (en ce cas, il faut éliminer cette couche de vernis avec un solvant adéquat).

Ainsi, les couleurs les plus sombres ont tendance à ressortir avec le temps, apparaissant au travers des couleurs les plus claires, notamment les blancs et jaunes. Il faut donc reprendre le tableau pour les masquer par une nouvelle couche de peinture. Ce genre d'intervention sur peinture sèche est en fait un travail de restauration.

Modulation d'un ton sur une couche picturale sèche.

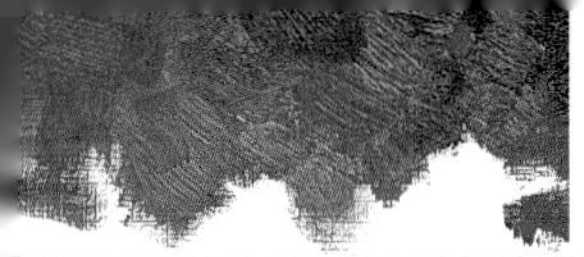

Une œuvre achevée peut être modifiée par l'ajout de nouveaux éléments, comme ici l'édifice central.

On peut supprimer un élément considéré comme superflu en raclant la peinture au couteau.

Corrections sur peinture fraîche

Corriger une couche de peinture fraîche implique un travail à la fois au niveau du tableau et de la palette. Après avoir raclé au couteau les empâtements recouvrant la toile, il faut reconstituer les formes effacées en utilisant le même procédé que celui employé pour l'élaboration antérieure du tableau : on redessine la zone corrigée (si elle est très limitée, c'est inutile), puis on pose à nouveau des aplats généraux de couleur en respectant la teinte et la tonalité des parties environnantes, et l'on termine en les unifiant au mieux.

Corrections sur peinture sèche

Une intervention après le séchage du tableau peut comporter quelques problèmes ; la texture de la couche picturale a tendance à ressortir, ainsi que les couleurs les plus sombres. La correction d'une œuvre se fait en déplaçant une nouvelle zone peinte à l'intérieur de la partie corrigée, en essayant d'approcher la couleur et la forme sans créer d'empâtements. Il faut également fondre les couleurs de façon à ce que la retouche soit invisible et se fonde dans les couleurs environnantes.

Les variations de tons peuvent être corrigées à tout moment.

Après suppression de l'élément superflu, on peut redonner au tableau son aspect initial.

Les possibilités correctrices de la peinture à l'huile dépendent uniquement de la connaissance technique du médium.

POUR EN SAVOIR PLUS

- Composition de la peinture à l'huile **p. 10**
- Fondu des couleurs **p. 62**
- Technique du glacis **p. 68**

Les repentirs de Vélasquez

La liberté et la spontanéité du style de Vélasquez font de ce peintre l'un des précurseurs de l'impressionnisme. Ce travail direct l'amenait à effectuer assez fréquemment des corrections en cours de travail, et l'œuvre ci-contre *(Les Fileuses)* en fournit un exemple flagrant. On peut en effet observer un repentir sous le bras tendu de la fileuse à partir de la manche roulée, destiné selon toute vraisemblance à en rectifier la position.
Il va de soi que les corrections effectuées par Vélasquez n'étaient pas visibles à l'époque, mais le sont devenues avec le temps.

OBJETS EN VERRE ET REFLETS

La peinture à l'huile permet de reproduire fidèlement n'importe quel objet. La représentation d'objets est une constante de tous les thèmes : nature morte, portrait ou paysage mettent en scène toutes sortes d'objets, aussi divers par les matériaux qui les composent que par leur texture. Les reflets peints sur un objet en révèlent la nature, celle de son environnement et la qualité de l'éclairage. Un vase en terre émaillée n'a pas le même reflet qu'un objet en terre cuite ou qu'une coupe en cristal.

Définition des objets en verre

Dessin, reflets et nuances de couleur contribuent à matérialiser la présence des objets en verre et en modeler le volume. On ne saurait trop insister sur l'importance du dessin, car c'est grâce à lui que l'on peut obtenir une définition parfaite des formes.

Comme vous l'avez sans doute observé, le verre filtre les couleurs et les formes de l'environnement, lui-même étant influencé par l'éclairage ambiant. Les reflets permettent de mettre en relief la forme de l'objet par rapport aux éléments qui l'entourent.

Sur la base d'un dessin précis et de premiers aplats de couleur, tracez les arêtes de l'objet à l'aide d'un pinceau fin et d'une couleur lumineuse ; s'il contient un liquide, peignez la surface dans un ton plus soutenu que le reste du liquide, en respectant la forme du verre et la perspective. Plus le liquide contenu dans l'objet en verre sera coloré et sombre, moins il sera transparent.

Les reflets apparaissent comme les points les plus lumineux à la surface du verre.

Les arêtes d'un vase ou d'une coupe concentrent la lumière.

Les bords sont soulignés.

Il faut intensifier les parties sombres pour accentuer leur contraste avec le blanc des reflets.

Suggestion des volumes

En peinture, le volume des différents éléments du sujet est suggéré par le contraste entre lumières et ombres et leur gradation tonale. Un reflet lumineux sur un objet se définit par contraste avec la couleur environnante : un blanc paraît d'autant plus éclatant que la couleur qui l'entoure est sombre.

La lumière qui éclaire l'objet définit sur l'objet même une zone d'ombre, ou ombre propre, alors que celle que l'objet projette sur le plan qui lui sert de support est une ombre portée. Ces ombres ne sont pas uniformes, elles offrent une gradation de tons, des parties les plus sombres aux plus lumineuses. Ainsi, la zone maximale d'ombre, pour ce qui est de l'ombre portée, se situe près de l'objet qui la projette.

L'éclairage modifie la teinte des ombres.

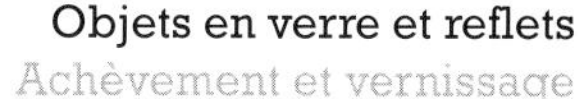

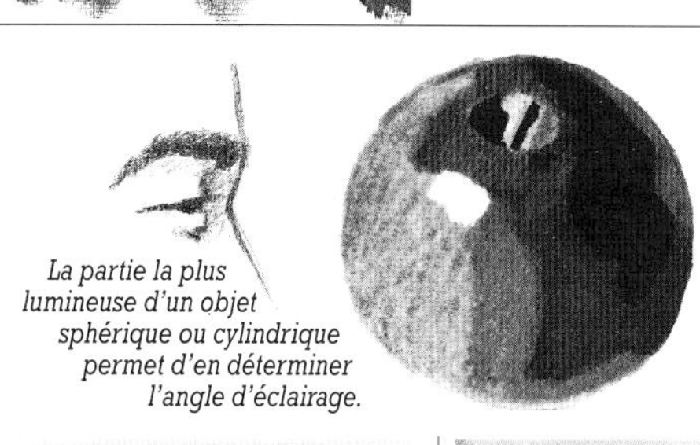

La partie la plus lumineuse d'un objet sphérique ou cylindrique permet d'en déterminer l'angle d'éclairage.

Éclat et réalisme

Le seul moyen de représenter avec réalisme les objets en verre est de les définir par le jeu des différents reflets qui les composent et d'accentuer le contraste avec les zones reflétées qui les entourent.

Les objets en verre sont laissés en réserve au moment de l'ébauche.

Rendre l'épaisseur du verre

Cet objet en verre a été peint dans une gamme de couleurs rabattues. C'est la variation des contrastes tant graphiques que picturaux qui définit le verre en tant que tel. L'épaisseur des parois du verre est déterminée par la largeur des touches qui en soulignent le volume et les arêtes.

La seule façon de rendre l'impression de volume d'un corps sphérique est de définir les zones d'ombre et de lumière qui nuancent sa surface. Les ombres modèlent la sphère, tandis que les parties les plus claires en révèlent la texture.

On peut accentuer la présence des reflets dans le verre en modifiant la source lumineuse.

L'intérieur des récipients en verre est peint à l'aide des couleurs reflétées, exception faite de leurs contours.

Réflexion et déviation des rayons lumineux

La lumière se reflète sur les objets en verre et en dessine les formes par des ombres quasi linéaires dont le contraste avec les points les plus éclairés sera d'autant plus marqué qu'elles en sont proches. Les objets vus à travers le verre subissent une déformation due à la déviation des rayons lumineux et une altération de teinte d'autant plus forte que le verre est épais.

POUR EN SAVOIR PLUS

- Fondu des couleurs **p. 62**
- Relation entre fond et sujet **p. 70**

ACHÈVEMENT ET VERNISSAGE

Il faut savoir définir avec justesse le moment où l'œuvre peut être considérée comme terminée. Il arrive souvent qu'après avoir commencé brillamment, on modifie tant l'idée première qu'on lui fait perdre toute sa fraîcheur et son naturel. Une fois le tableau achevé, il faut le laisser sécher, plus ou moins longtemps selon l'épaisseur de la couche picturale. Le vernis définitif ne s'applique que sur des couleurs parfaitement sèches.

S'il n'est pas verni, un tableau peut présenter une surface mate et terne.

Temps de séchage

Le séchage de la peinture à l'huile s'opère toujours lentement, par oxydation progressive de chaque couche appliquée.

Un tableau peut sembler sec et ne pas l'être : certains peintres utilisent des empâtements d'une telle épaisseur qu'ils mettent des années à sécher.

Ce temps de séchage peut être accéléré par l'addition, lors de la fabrication des couleurs, de quelque type de siccatif que ce soit, siccatif au cobalt ou médium siccatif flamand, ces deux produits accélérant les mécanismes d'oxydation de la peinture à l'huile, mais pouvant en altérer la teinte et la structure.

Il est plus sage de laisser la peinture suivre son processus naturel d'oxydation. Le délai normal de séchage d'une peinture à l'huile est d'au moins six mois et peut aller jusqu'à un an pour les travaux les plus denses.

Le vernissage s'exécute au pinceau large et doux et de façon uniforme.

Corrections

Il est toujours possible de rectifier une œuvre peinte à l'huile, mais mieux vaut le faire quand la peinture est encore fraîche. Une correction ou un ajout sera alors plus facile à intégrer à la peinture. Il faut toujours veiller à ce que les couches ajoutées soient plus grasses que les couches sous-jacentes. N'ajoutez cependant pas trop d'huile à la peinture car celle-ci pourrait présenter des rides après séchage.

S'arrêter à temps

À quel moment une peinture peut-elle être considérée comme achevée ? La peinture à l'huile offre tant d'agréments que l'artiste a parfois tendance à surcharger son œuvre d'une multitude de nuances et de détails. Il faut savoir s'arrêter à temps, avant que l'œuvre ne perde tout caractère et tout intérêt.

Avant d'estimer votre œuvre terminée, laissez-la reposer un ou deux jours, de façon à prendre suffisamment de recul. Cela vous permettra de porter sur elle, en la redécouvrant, un regard plus objectif.

Choix du vernis

L'artiste est parfois déçu de l'aspect final que présente la surface d'une peinture à l'huile, car elle révèle souvent des irrégularités de brillance. On a alors recours au vernissage pour unifier, raviver l'éclat de l'ensemble de l'œuvre en lui donnant une finition brillante, satinée ou mate.

En recouvrant la surface picturale d'une fine couche transparente, les vernis jouent deux rôles : ils permettent de parfaire l'aspect définitif de l'œuvre et de la protéger contre la poussière.

Il existe de nombreux vernis de finition – brillants, satinés ou mats. Ces derniers présentent l'inconvénient d'altérer l'éclat de certaines couleurs.

Le vernis à retoucher associé au vernis de finition est idéal pour donner la dernière touche à un tableau.

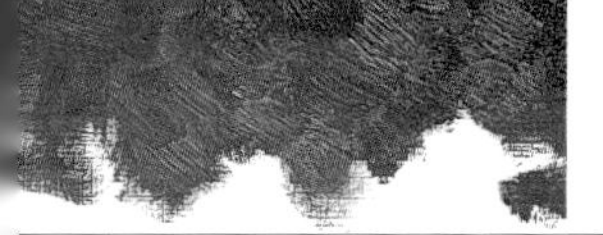

Vernissage d'un tableau

Le vernis constituant un film imperméable, il ne faut l'appliquer que lorsque la couche picturale est tout à fait sèche. Le délai de séchage est fonction de l'épaisseur de la couche.

Le vernis peut s'appliquer de différentes manières selon sa présentation ; s'il est conditionné en flacon, il faut l'appliquer au pinceau. Il convient alors d'employer un pinceau large et plat, en poil de martre de préférence, qui ne laissera aucune empreinte. La couche de vernis doit être fine et lisse.

Le vernis est aussi commercialisé en bombes aérosol, faciles à utiliser. On peut en un seul passage couvrir uniformément toute la surface du tableau. Pour s'assurer que le film est bien régulier, placez le tableau en lumière rasante.

Nettoyage d'un tableau ancien

Les vieux tableaux ont tendance à jaunir et à s'encrasser. Leur nettoyage requiert méthode et patience. Il est difficile de déterminer à partir de quel moment un solvant commence à attaquer la couche de vernis ou la couche de peinture. C'est donc une tâche délicate et difficile.

La Ronde de nuit *de Rembrandt (détail).*

Restauration et lumière

Cette œuvre fut dénommée ainsi par erreur au XIXe siècle car, après son nettoyage et sa restauration, on s'est rendu compte qu'une épaisse couche de patine obscurcissait les couleurs au point d'en masquer totalement l'éclat et la luminosité, et de laisser croire qu'il s'agissait d'une scène nocturne.

Pour éliminer la poussière grasse qui encrasse la peinture, imprégnez une boule de coton d'essence de térébenthine, puis pressez-la ; nettoyez alors toute la surface du tableau par petits mouvements circulaires en changeant de coton quand il est sale autant de fois que nécessaire.

Quand le tableau est propre, si vous voulez le recouvrir d'une nouvelle couche de vernis, éliminez l'ancienne avec un solvant non aqueux, composé de 5 parts d'alcool, 3 parts d'essence de térébenthine et une part d'acétone d'éthyle. Répétez l'opération antérieure avec une boule de coton de 2 à 3 cm de diamètre en vérifiant souvent l'état du coton : dès qu'il présente des traces de couleur, prenez immédiatement un autre morceau de coton, imbibez-le d'essence de térébenthine et frottez la surface pour annuler l'action du solvant. L'ensemble du processus de nettoyage peut demander plusieurs heures et doit être achevé en une seule séance.

Effets d'un bon vernissage.

POUR EN SAVOIR PLUS

• Composition de la peinture à l'huile **p. 10**

Adaptation française : Martine Richebé
Révision : Thierry Descamps

Première édition française 1997
par Librairie Gründ, Paris

ISBN 2-7000-1985-7
Dépôt légal : mars 1997

Édition originale 1996
par Parramón Ediciones, S.A.
sous le titre original : *Óleo*

PAO : Bernard Rousselot, Paris
(ouvrage composé en Rockwell)
Imprimé en Espagne

Note — Les titres courants qui figurent
sur les pages impaires correspondent à :

Titre du thème précédent
Titre du thème présent
Titre du thème suivant